CUM S-A NĂSCUT POPORUL ROMÂN

HUMANITAS
junior

CUM S-A NĂSCUT POPORUL ROMÂN

Text
NEAGU DJUVARA

Ilustrația
RADU OLTEAN   SIMONA BUCAN

Ediția a doua revizuită

Prezentare grafică, copertă și design
RADU OLTEAN

Tehnoredactare computerizată
OFELIA CRUCIANU

Descrierea CIP a Bibliotecii Naționale
DJUVARA, NEAGU
Cum s-a născut poporul român / Neagu Djuvara; il.: Radu Oltean,
Simona Bucan. – Ed. a 2-a. – București: Humanitas, 2003
   ISBN 973-50-0579-4

I. Oltean, Radu (il.)
II. Bucan, Simona (il.)

94(498)

EDITURA HUMANITAS
Piața Presei Libere 1, 013701 Sector 1 București–România,
Tel.: (401) 222 85 46, Fax (401) 222 36 32
www.humanitas.ro • www.librariilehumanitas.ro
Comenzi CARTE PRIN POȘTĂ, tel. / fax: (021) 222 90 61

ISBN 973-50-0579-4

ÎNTÂMPINARE

Dragii mei, începem azi o poveste minunată! Când zic minunată, vreau să spun că seamănă cu minunile de care ne vorbește Sfânta Scriptură: nu înțelege ușor mintea noastră cum de s-a întâmplat așa ceva. Și această poveste e: *Cum s-a născut poporul român.* Ce neamuri au fost din vechime pe acest pământ care e astăzi al nostru, ce fel de oameni erau, cu ce se îndeletniceau. Cum au venit alte popoare, pe rând, cum s-au războit, cum s-au amestecat unii cu alții și cum, în cele din urmă, după vreo mie de ani de mari mișcări și frământări, a ieșit un popor întreg de sute de mii, apoi de milioane de oameni vorbind toți aceeași limbă și având aceleași datini și obiceiuri.

O mie de ani! Vă sperie cifra, nu-i așa? Dar gândiți-vă: bunicul vostru s-a născut, poate, acum aproape o sută de ani. În orice caz, într-o sută de ani încap trei generații: bunicul, tatăl și fiul, care în general apucă să se cunoască. Imaginați-vă deci de zece ori aceste trei generații ale unei familii și iată-ne la strămoșii noștri din anul 1000! Vedeți că o mie de ani nu-i așa mult?

1. Puțină geografie

Uitați-vă acum pe harta Europei! România de azi are o formă aproape rotundă și se află în mijlocul Europei, exact la jumătate de drum între Oceanul Atlantic și Munții Ural din Rusia, care sunt considerați o limită între „peninsula Europa" și masa continentului asiatic. Am zis „peninsulă", fiindcă știți că Europa nu e un continent izolat, ca o insulă uriașă; ea, pe mapamond, apare doar ca o prelungire a Asiei.

Iar în centrul României se află Podișul Transilvaniei, cu dealurile și pădurile lui. Vedeți pe harta fizică a țării noastre cum arată arcul Carpaților: parcă-i un om așezat și adus puțin din spate, iar în față, spre apus, închizând oarecum cercul, se află Munții Apuseni. De la acest Podiș al Transilvaniei coboară domol trei largi regiuni: la vest, Crișana și Banatul, la sud, Muntenia, la răsărit, Moldova. Acesta este cadrul natural în care s-a desfășurat încet acea *geneză*, adică facere sau naștere a poporului român.

2. Puțină preistorie

Noi știm astăzi că pe acest pământ au viețuit oameni încă din primele timpuri ale răspândirii lor pe continentul eurasiatic. Arheologii și paleontologii (savanții care studiază trecutul

600 000 a. Chr.: Primele urme de om pe teritoriul nostru

Gânditorul și femeia sa.
Aceste două statuete de lut ars, vechi de aproape 6500 de ani, au fost descoperite într-un mormânt de la Hamangia, localitate aflată în apropierea orașului Cernavodă (jud. Constanța).

7

70 000 a. Chr.: este atestat omul de Neandertal

35 000 a. Chr.: este atestat omul de Cro-Magnon

după obiectele și osemintele găsite în pământ) vorbesc de o posibilă prezență umană la noi acum 600 de mii de ani! Apoi, ceva mai aproape de noi, se găsesc urme ale celor două mari ramificații ale speciei umane în Europa, de care poate ați auzit: omul de Neandertal și omul de Cro-Magnon, nume date după o localitate din Germania, respectiv Franța, unde s-au găsit pentru prima dată schelete ale acestor presupuși strămoși ai europenilor. Dar oricât de pasionante ar putea fi aceste cercetări pierdute în negura vremurilor, ele tot nu ne-ar ajuta să înțelegem din ce încrucișări s-a născut poporul român.

Vase de Cucuteni, vechi de peste 5000 de ani. Vasele culturii Cucuteni au fost produse la sfârșitul epocii de piatră, fiind găsite de arheologi pe teritoriul Moldovei de azi.

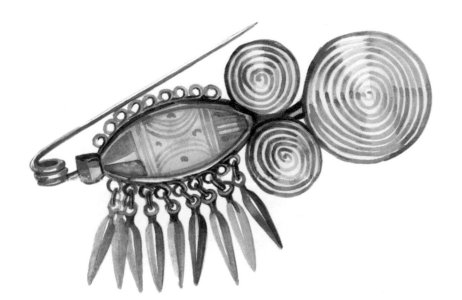

Fibulă de bronz (veche de mai bine de 3000 de ani) de la începutul epocii de fier. Fibulele erau un fel de ace de siguranță ornamentate, folosite în Antichitate pentru prinderea veșmintelor, nasturii nefiind cunoscuți pe vremea aceea.

3. Grecii și geto-dacii

S-o luăm deci de mult mai aproape de noi, din jurul anului 500 a. Chr. Din vremea aceea, avem documente grecești care pomenesc de locuitorii din părțile noastre. De ce grecești? Fiindcă în Antichitate grecii au fost primii europeni care au atins cel mai înalt grad de civilizație. Minunatele temple, palate și monumente pe care le-au clădit ei atunci ne mai servesc și azi drept modele arhitecturale (dacă vă plimbați prin București, puteți observa în centrul orașului două mari monumente: Ateneul Român și fostul Palat Regal; amândouă prezintă o fațadă susținută de colonade, ca anticele temple grecești!).

Sec. al VI-lea a. Chr.: sunt atestați geto-dacii

Negustorii greci, buni navigatori, au înființat de-a lungul țărmului Mării Negre mai multe orașe. Poate cel mai vechi este Histria (numit astfel după numele grecesc al Dunării: Istru), acesta datând de acum aproximativ 2500 de ani. Orașul Histria va deveni repede înfloritor, umplându-se cu case și temple de piatră. Mai târziu, după ce romanii cuceresc Dobrogea, importanța orașului va scădea, iar golful unde acostau corăbiile se va închide cu o barieră de nisip, transformându-se în zilele noastre în lacul Sinoe.

Acești greci, navigatori îndrăzneți și buni negustori, au venit să întemeieze treptat, în ceea ce azi numim Dobrogea, mici colonii-porturi la Marea Neagră, pentru ca de-acolo să practice comerțul cu populația din interiorul țării. Așa au fost, de pildă, Histria și Tomis (Tomisul se află pe locul unde este astăzi marele nostru oraș Constanța). Acolo acostau corăbiile lor cu pânze sau cu vâsle, care înfruntau marea zi și noapte timp de săptămâni întregi, fiind mereu în mare primejdie de a se scufunda pe vreme de furtună.

Corăbiile lor, să știți, nu erau atât de mari ca vapoarele de azi! Erau mai curând niște bărci mari, podite, mărfurile fiind depozitate în fundul vasului, iar pe pod se mânuiau pânzele sau vâslele și cârma și, în general, nu încăpeau mai mult de vreo 50 de oameni. Cum nu se cunoștea încă busola să te poți orienta când ești în larg și nu mai vezi țărmul, navigatorii din Antichitate se străduiau să țină corabia cât mai aproape de țărm. Știți când s-a inventat busola? Abia în Evul Mediu! Și numai după ce s-au învățat navigatorii cu ea au îndrăznit să se avânte în plin ocean, îndepărtându-se de coaste. Așa a putut Cristofor Columb să descopere America.

Fiindcă s-au putut localiza epavele — adică rămășițele scufundate ale câtorva corăbii antice —, noi știm cam ce transportau ele pe aceste drumuri: aduceau ulei de măsline și vinuri tari în oale mari, numite *amfore*; ați văzut poate, prin muzee sau albume, forma lor elegantă. Aduceau și vase de lut, bronz sau argint, frumos lucrate și împodobite și, de asemenea, arme bine făurite. Și toate acestea le schimbau pe produse care nu se găseau pe teritoriul uscat, arid, al Greciei și al insulelor din Marea Egee: grâne, blănuri prețioase, din păcate și sclavi, adică adversari învinși, robiți și vânduți ca niște mărfuri în Grecia sau mai departe. Ați auzit de existența acestor sclavi și a acestui regim de muncă silnică pe viață impus dușmanilor învinși, apoi și copiilor lor și descendenților acestora. Acest regim, care azi ne îngrozește, să știți că n-a existat numai în Antichitate. Cu toate că religia creștină a condamnat sclavia, ea s-a menținut sub diferite forme în toată lumea europeană până la mijlocul veacului trecut, deci foarte aproape de noi. Să nu uităm acest lucru!

Dacă v-am pomenit mai pe larg de aceste colonii grecești de pe coasta Mării Negre, am făcut-o ca să înțelegeți de ce tocmai prin scrieri grecești aflăm noi prima oară de „barbarii" care locuiau pe atunci prin părțile noastre (grecii îi numeau *barbari* pe toți cei ce nu erau de neam *elen*, iar eleni se numeau grecii pe ei înșiși).

Acestor popoare de pe teritoriul nostru li s-a zis ba *geți*, în special celor din teritoriile Dobrogei și Munteniei actuale, ba *daci*, în special celor aflați la nord de Carpați, dar de același neam și de aceeași limbă. Acestora le vom zice așadar *geto-daci*. Cu toate că erau mai puțin evoluați din punctul de vedere al civilizației decât elenii, aveau și ei o structură socială diferențiată, cu țărani și conducători nobili, unii desemnați chiar ca regi. Aveau și ei meseriașii lor, atelierele lor de olărie, care produceau vase cu forme și ornamentație specifice.

Deci aveau și ei o formă de civilizație, dar și o cultură mai puțin rafinată, iar orașele lor erau mai rare și nu atât de bine clădite și organizate cum erau cele grecești.

4. Zeii la daci și la traci. Zalmoxis

Acești geto-daci, din a căror limbă nu ne-au rămas decât câteva zeci de cuvinte păstrate în scrieri străine, erau rude cu vecinii lor de la sud (din Bulgaria, Macedonia și Turcia de azi), *tracii*, și cu vecinii de la vest (din Albania și fosta Iugoslavie), *ilirii*, de la care iarăși n-au rămas decât puține cuvinte. Multe dintre aceste cuvinte sunt nume de zei, căci ei, ca și grecii de altfel, credeau că în spatele tuturor lucrurilor și al fenomenelor naturale (soarele și luna, pământul și marea, apele toate, vântul și trăsnetul), precum și în spatele însușirilor omenești, al virtuților și viciilor, se află niște puteri nevăzute, supraomenești, niște zei, care au primit, fiecare, un nume. Erau închipuite, pentru fiecare, calități și defecte asemenea celor omenești, care se adăugau puterilor lor supranaturale și misterioase.

Astfel de zei se găsesc cu zecile și sutele la traci, dar iată că la daci nu s-au găsit decât numele a vreo patru–cinci, dintre care unul mai

Zona sacră a Sarmizegetusei Regia

Arheologii au dezgropat acum 50 de ani Sarmizegetusa dacică, centru politic, militar și religios.

În apropierea cetății de piatră se află zona sacră, unde erau construite sanctuarele. În desen se văd urmele a două sanctuare dreptunghiulare, a altor două sanctuare circulare și a unui mare disc de piatră, probabil un altar pentru sacrificii rituale. Istoricii nu au reușit încă să-și imagineze cum arătau aceste sanctuare.

Atenție! Nu confundați Sarmizegetusa dacică (numită și Regia) cu Ulpia Traiana Sarmizegetusa, capitala Daciei romane, aflată la 40 km de cea dacică!

Sec. al VI-lea a. Chr.: Zalmoxis, preot geto-dac, este slăvit ca un zeu

mare, *Gebeleizis* (zeu al fulgerului), a fost întrecut apoi în faimă de un mare preot care ar fi trăit, pare-se, prin veacul al VI-lea a. Chr., *Zalmoxis* (scris și Zamolxis). Și atât de mare a fost prestigiul acestuia, că geto-dacii, după moartea lui, l-au privit și l-au cinstit ca zeu. Autorii greci care au scris despre el, văzând înțelepciunea și subtilitatea învățăturilor sale, au afirmat că venise din Grecia și fusese discipolul marelui filosof și matematician grec Pitagora.

Se zice că, întors în țara lui cu știință multă de cele ce sunt și în lume, și în ceruri, cu puterea de a citi în stele și de a prezice viitorul, el și-ar fi clădit un palat în care dădea ospețe și-i învăța toate cele pe mai marii țării. Apoi ar fi pus să i se zidească o locuință subterană, secretă, unde a dispărut timp de trei ani, iar când a reapărut, toți au crezut că el fusese cu adevărat în împărăția morților, unde luase legătura cu cei mai mari înțelepți ai vremurilor trecute, care trăiau în lumea de dincolo o viață de veșnică fericire. Și atunci, geto-dacii s-au bizuit și mai mult pe spusele lui, iar după moartea sa, cu timpul, au început să creadă că el fusese o întruchipare a zeului Gebeleizis și l-au prețuit și cinstit ca zeu.

Întrucât se credea că el lipsise trei ani dintre oameni pentru a lua legătura cu „lumea de dincolo", geto-dacii, o dată la patru ani, săvârșeau o foarte stranie ceremonie: se trăgea la sorți unul dintre fruntașii lor, un tânăr care să fie trimis mesager la Zalmoxis „dincolo"... Iată cum relatează scena primul mare istoric și geograf grec, Herodot, care a trăit în sec. al V-lea a. Chr., culegându-și informațiile de la grecii de pe malul Mării Negre, vecini cu geții: „La fiecare patru ani aruncă sorții, și pe acela dintre ei pe care cade sorțul îl trimit cu solie la Zalmoxis, încredințându-i de fiecare dată toate nevoile lor. Trimiterea solului se face astfel: câțiva dintre ei, așezându-se la rând, țin cu vârful în sus trei sulițe, iar alții, apucându-l de mâini și de picioare pe cel trimis la Zalmoxis, îl leagănă de câteva ori și apoi, făcându-i vânt, îl aruncă în sus peste vârfurile sulițelor. Dacă în cădere omul moare străpuns, rămân încredințați că zeul le este binevoitor; dacă nu moare, îl învinuiesc pe sol, hulindu-l că este om rău; după ce aruncă vina pe el, trimit un altul. Tot ce au de cerut, îi spun solului cât mai e în viață."

Alt obicei ciudat pe care-l aveau acești geto-daci arată cam așa: dacă se dezlănțuia o furtună mare, cu tunete și trăsnete, ei ieșeau cu arcurile și trăgeau săgeți către nori, pesemne pentru a pedepsi demonii răuvoitori care porniseră furtuna.

5. Burebista și Cezar

Iată că pe la începutul sec. I a. Chr. a apărut la geto-daci un rege pe nume Burebista, energic și înțelept. El a reușit să-i unească pe toți ceilalți regi și conducători ai neamului său în așa fel încât a putut construi o adevărată împărăție, ce mergea de la Tisa până dincolo de Nistru, la Bug. Și la această înfăptuire fusese ajutat de un preot cu mare prestigiu, pe nume Deceneu, de care vor pomeni

Cca. 82 a. Chr.: Burebista este atestat ca rege al geto-dacilor

mulți istorici până în Evul Mediu. Se povestește că, pentru a-i convinge pe conducătorii geto-daci, care se tot certau și se războiau între ei, că trebuiau să se unească, Burebista i-ar fi poftit odată pe un câmp unde adunase o haită de câini care se luau la harță unii cu alții, se mușcau, se trânteau, se luptau de moarte. Atunci, la porunca lui Burebista, s-a deschis o cușcă dosită, în care era un lup. Și, când au mirosit câinii lupul, odată au lăsat cearta dintre ei și s-au năpustit cu toții asupra lui. „Așa să facem și noi", a zis regele, și așa au făcut. În gândul lui Burebista și al lor, al tuturor, *lupul era Roma*.

De două–trei veacuri, din centrul Italiei, din orașul Roma, începuse să crească o putere, întinsă pe uscat și pe mare, care avea să devină, cu vremea, cea mai mare împărăție din Antichitate: Imperiul Roman. Prin lupte neîncetate, romanii cuceriseră mai întâi toată Italia, apoi Peninsula Iberică (adică Spania și Portugalia de astăzi), apoi, după mai multe războaie crâncene cu un popor de mari negustori semiți (adică rude cu evreii și arabii), *cartaginezii*, romanii ocupaseră aproape tot nordul Africii. În fine, în timpul domniei lui Burebista, romanii cuceriseră Galia (Franța de azi) sub conducerea unui comandant genial: Cezar. Trebuie să vă semnalez că pe latinește (latina era limba vorbită de romani; i se zice așa fiindcă provincia în mijlocul căreia se afla Roma se numea Latium) Cezar se scrie *Caesar* și se pronunță, aproximativ, „Caisar", de unde s-a tras cuvântul nemțesc *Kaiser*, care înseamnă împărat, precum și *csar*, sau *țar*, cuvânt care a desemnat la bulgari, și apoi la ruși, tot împărat.

Și închipuiți-vă că Burebista îndrăznea, tocmai atunci, să-i sfideze pe acești romani, lansând atacuri împotriva provinciilor de la sud de Dunăre aflate sub stăpânire romană! Așa se face că Cezar hotărăște să pornească o campanie militară ca să-l supună pe Burebista. Dar la „idele lui Martie", adică pe 15 martie, în anul 44 a. Chr., Cezar era ucis în plin Senat roman de un grup de conjurați, senatori care bănuiau că Cezar vrea să suprime Republica și să înființeze, cu el în frunte, un regat sau o împărăție. Printre conjurații care se năpustiseră asupra lui cu pumnalele, Cezar l-a zărit și pe Brutus, fiul soției sale, pe care-l crescuse

Anul 44 a. Chr.: Cezar, la Roma, și Burebista, în Dacia, pier uciși de ai lor

14

de copil. Atunci, cronicile spun că ar fi exclamat: „Și tu, fiul meu?",
și-ar fi acoperit fața cu toga și ar fi căzut străpuns de 15 lovituri de
pumnal. Așa a pierit unul dintre marile genii politice ale istoriei uni-
versale, al cărui nume a rămas peste veacuri sinonim cu titlul de rege
sau împărat.

Burebista scăpase de atacul lui Cezar, dar pierea și el, în același
an, în cursul unei revolte din propria-i împărăție. Și, cum „lupul" pierise,
iar s-au luat „câinii" la harță, astfel că regatul lui Burebista s-a destrămat.

6. Ovidiu în surghiun la Tomis-Constanța

Î n deceniile care au urmat, romanii au pus treptat stăpânire
dinspre sud, pe Dobrogea de azi, căreia i se zicea Scythia
minor, adică Sciția Mică (sciții, călăreți
temuți, înrudiți cu perșii din Iran, erau răspândiți
la nord de Marea Neagră). Și, bineînțeles,
tot romanii au pus stăpânire și pe coloniile
grecești de pe litoral. Așa se face că în anul
8 p. Chr., împăratul Augustus l-a surghiunit
(adică l-a exilat) la Tomis (Constanța de
azi) pe poetul Ovidiu care, pasămite, îl
vorbise de rău.

Bietul Ovidiu, mare poet ale
cărui versuri se mai citesc și azi

Șarpele Glykon

Statuie din marmură reprezentându-l pe
șarpele Glykon, o divinitate antică. Acest
zeu are corp de șarpe, urechi și păr de
om, bot de cămilă și coadă de leu. A fost
descoperit la Constanța.

Ovidiu

Marele poet latin, exilat la marginea imperiului, într-un orășel ce încă nu ajunsese la strălucirea căpătată peste 150 de ani: Tomis, actualul oraș Constanța.

Anul 8 a. Chr.:
Poetul Ovidiu
este exilat la Tomis
(Constanța)

traduse într-o mulțime de limbi, el, care era celebrat și răsfățat la Roma, splendida capitală, metropola lumii antice, a fost foarte nenorocit în surghiunul său de la Tomis. I se părea că e la capătul lumii. Micul port grecesc va fi avut el ceva din comoditățile orașelor greco-romane, case bine zidite, străzi pavate, băi publice. Dar priveliștea mării tulburi și adesea furtunoasă, împrejurimile pustii ale cetății, de unde veneau din

când în când atacuri sălbatice ale geto-dacilor din interior, trebuie să fi fost pentru rafinatul roman un adevărat chin. În zadar îi trimitea răvașe împăratului ca să-l ierte. Nu l-a iertat, și acolo a murit după zece ani de pribegie. Acolo a scris el culegerile de poezii intitulate *Tristele* și *Ponticele* (căci Mării Negre, în Antichitate, i se spunea Pontul Euxin).

V-ați întrebat vreodată, când spuneți Crezul în biserică, de ce pe Procuratorul Iudeii, care-l osândește pe Isus, îl chema Pilat *din Pont*?

7. Decebal, rege al dacilor

Suntem de-acum în era noastră, adică în sec. I după nașterea lui Iisus Christos. Și iată că în a doua jumătate a veacului apare iar la daci un rege, căruia i s-a zis Decebal, care izbutește să unească din nou triburile geto-dace într-un regat puternic. Decebal îndrăznește și el să înfrunte Imperiul Roman. Dacii nu se împăcau cu gândul de a cădea încetul cu încetul în mâinile romanilor, cum se întâmplase rând pe rând cu ilirii, macedonenii, grecii și tracii,

Cca. 87–106 p. Chr.: apare Decebal, regele dacilor

Soldați daci
Încercare de reconstituire a costumelor de luptă: echipamentul nobilului includea cămașa de zale și coiful (în stânga). Războinicul obișnuit (în dreapta) probează coiful luat ca pradă de la romanul căzut lângă el.

17

Pulsul vieții într-o davă dacică

Davele erau așezări dacice, cu ziduri de apărare făcute din pari ascuțiți, case din lemn sau lut, locuințe ale nobililor și sanctuare. În zonele de munte s-au descoperit și urme ale unor puternice dave cu construcții din piatră. În imagine, avem o scenă cu nobili ce se pregătesc să plece la război. Echipamentul militar al comandanților nu era cu nimic mai prejos decât cel al altor popoare civilizate din Europa acelor vremuri, cuprinzând coifuri metalice, cămăși de zale și apărători pentru gambe.

18

iar în cele din urmă, cum văzurăm, cu frații lor geto-daci din Scythia minor, așadar din Dobrogea de azi.

Dacia lui Decebal era mai puțin întinsă decât, cu 150 de ani înainte, Dacia lui Burebista, dar regatul era mai bine închegat și organizat, cu mulți ostași, multe cetăți și întărituri. Și, din când în când, pentru a slăbi forța armată a romanilor, treceau Dunărea pe neașteptate, mai cu seamă iarna, pe fluviul înghețat, căci în vremea aceea clima Europei era mai aspră și Dunărea îngheța pe lungi perioade. Treceau, cum zic, Dunărea, jefuiau și ardeau sate și orașe, întorcându-se în adăposturile lor de la nordul fluviului cu pradă și o mulțime de robi.

Atunci romanii au pus la cale o mare expediție militară împotriva lor. Dar asta se petrecea sub un împărat slab, pe nume Domițian, căruia îi plăceau jocurile și distracțiile mai mult decât armata. Astfel, războiul nu a decurs cum au sperat romanii, care se izbesc de rezistența îndârjită a dacilor. Aceștia reușesc chiar, o dată, să obțină o victorie răsunătoare asupra unui corp de armată roman. În cele din urmă, romanii restabilesc situația, dar împăratul Domițian consideră mai cuminte să facă o înțelegere cu Decebal cumpărând pacea, adică angajându-se să-i verse regelui dac un subsidiu anual și să-i dea în ajutor niște tehnicieni pentru clădirea unor drumuri, poduri și orașe, dar primind în schimb făgăduiala că Decebal va rămâne un prieten credincios al Romei. Decebal a profitat însă de acest răgaz și de ajutor ca să-și întărească cetățile, să-și refacă armata și să caute alianțe cu dușmanii Romei.

8. Traian, împărat

**98–117 p. Chr.:
Traian este împărat
la Roma**

Lucrurile însă vor lua o altă întorsătură câțiva ani mai târziu, în anul 98, când ajunge împărat la Roma — fiind adoptat de bătrânul împărat Nerva — un tânăr general energic, Traian. *Traian e primul provincial care accede la Roma la tronul imperial.* Înaintea lui fuseseră împărați numai aristocrați din Roma sau, ultimii, cel puțin italieni. În schimb, după Traian, aproape toți împărații vor fi provinciali; mai întâi coloniști romani din provincii, ca Traian, apoi cetățeni

Catapultă

Veche armă de asediu, capabilă să propulseze proiectilul în traiectorie boltită, catapulta a continuat să fie o importantă armă de distrugere a fortificațiilor până în Evul Mediu, când a apărut praful de pușcă.

20

de origine barbară, romanizați: arabi, iliri, traci, daci, gali... E bine să cunoașteți această particularitate a lui Traian: el nu era de neam mare din Roma; era fiul unui funcționar de rang mediu, originar din Spania, prima țară devenită provincie romană.

Bun strateg și organizator, mândru de a fi în fruntea celei mai mari și mai glorioase puteri din lumea cunoscută atunci, Traian nu mai tolerează nici situația umilitoare de a vărsa un subsidiu, ca tribut, regelui dac și nici riscul unor noi razii ale dacilor la sud de Dunăre. Luând ca pretext faptul că Decebal nu și-a respectat cuvântul și a clădit sau întărit zeci de cetățui în țara lui, Traian pornește război împotriva acestuia în primăvara anului 101 p. Chr. A adunat la Dunăre 13 legiuni și o mulțime de trupe auxiliare de călărie și, de asemenea, mai multe unități militare ale unor aliați ai Romei. Istoricii antici vorbesc de 200 de mii de oameni în total, ceea ce era o cifră enormă pentru acele vremuri.

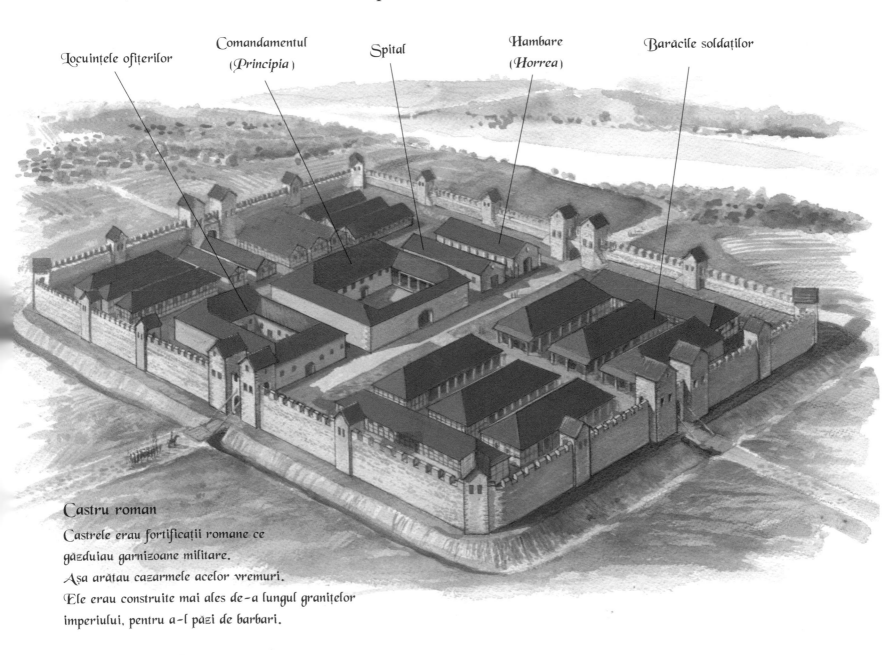

Locuințele ofițerilor   Comandamentul (Principia)   Spital   Hambare (Horrea)   Barăcile soldaților

Castru roman

Castrele erau fortificații romane ce găzduiau garnizoane militare.

Așa arătau cazarmele acelor vremuri.

Ele erau construite mai ales de-a lungul granițelor imperiului, pentru a-l păzi de barbari.

9. Ce erau legiunile romane

Trebuie, cu acest prilej, să vă spun un cuvânt despre legiunile și armatele romane în general. Legiunea era unitatea de bază a armatei romane, de mărime comparabilă cu cea a unei brigăzi sau a unei divizii mici în armatele moderne. Era deci o unitate mare într-o Europă de vreo zece ori mai puțin populată decât astăzi. Două particularități făceau puterea legiunilor: disciplina de fier și durata serviciului militar. Ostașul care se înrola în legiune stătea *25 de ani* în serviciu. Vă dați seama ce înseamnă un serviciu militar de 25 de ani? O viață de om! După care, dacă scăpa cu viață, se putea stabili în provincia în care-și făcuse ultimul serviciu, i se dădea pământ și un mic capital și-și întemeia o familie acolo. De altfel, el avea voie să se însoare după un timp și chiar să întrețină un mic comerț pe lângă slujba sa militară. Sistemul acesta a fost, la Roma, un factor important de colonizare și romanizare.

Echipamentul unui ofițer de cavalerie din armata romană
(observați șaua sa, lipsită de scări!)

În plus față de armele fiecărui ostaș (o spadă scurtă cu două tăișuri, o platoșă, un scut, un coif, și uneori o lance), legiunea avea un întreg arsenal, care ar corespunde, în armatele moderne, unităților de geniu și celor de artilerie. Aveau specialiști care făceau grabnic poduri de vase pentru a trece râurile. Construiau pe loc turnuri înalte de lemn, pe roți, pe care le împingeau, pline de ostași, până în imediata apropiere a zidurilor cetății inamice, pentru a sări din ele pe acele ziduri de apărare. Aveau *catapulte*, niște praștii uriașe, în stare să azvârle spre ziduri bolovani mari de piatră sau butoaie în flăcări. Aveau și niște pari groși, la capătul cărora era un bloc solid de metal — de bronz, de pildă —, de cele mai multe ori reprezentând un cap de berbec, fiindcă e legendară întărâtarea berbecului când vrea să-și lovească adversarul cu coarnele. Acest „berbec" era purtat de câteva zeci de legionari, fiecare ținându-l cu o mână, în timp ce cu cealaltă își acoperea capul și spinarea cu scutul. Toate scuturile lor unite arătau ca o carapace de broască țestoasă care-i păzea de săgețile apărătorilor de pe zidurile cetății. Și cu „berbecul" izbeau în vrăjmășie poarta de lemn a cetății până când izbuteau s-o spargă pentru ca soldații ceilalți să se năpustească înăuntru.

Așa se face că aceste legiuni romane, bine organizate, conduse și înzestrate, ajunseseră cu vremea de neînvins, dacă nu erau copleșite de numărul dușmanilor.

10. Cum a evoluat cavaleria din Antichitate

Cavaleria în Antichitatea greco-romană juca un rol mult mai puțin însemnat decât mai târziu, în Evul Mediu; de cele mai multe ori, ea era folosită doar la urmărirea unui inamic o dată ce acesta fusese pus în derută de atacul infanteriei. Și știți de ce nu era folosită cavaleria în atacuri frontale? Fiindcă nici grecii, nici romanii nu inventaseră încă *scara* la șaua calului! Scara este cea care-ți dă o mare stabilitate și siguranță în caz că ești lovit de adversar. Ați văzut desigur în poze sau pe sculpturi și basoreliefuri, în muzee: picioarele călărețului antic cădeau liber, drept, fără nici o susținere. Dacă primea o lovitură de lance, cădea îndată, căci n-avea în ce se sprijini. Șeile cu scări au apărut abia spre sfârșitul epocii romane, aduse de unul dintre popoarele barbare care atacau necontenit *limes*-ul (granița) imperiului. Ei împrumutaseră acest sistem de șa cu scări de la popoarele mongole din Asia, venite în contact cu China antică.

Tot acești barbari sunt cei care introduc în Europa o inovație care va aduce schimbări hotărâtoare în arta războiului din Evul Mediu și va spori rolul cavaleriei, și anume *cămașa de zale*, un fel de tunică lungă făcută din împletituri de mici inele de fier. Această cămașă, care cântărea mult, vă închipuiți, îl ferea pe călăreț de loviturile de spadă sau de suliță ale adversarului. *Șaua cu scări și cămașa de zale au reprezentat o adevărată revoluție în tehnica războiului* și au modificat, cu timpul, în mod radical tactica oștirilor din Evul Mediu. Vedeți așadar că nu întotdeauna popoarele cele mai civilizate au fost cele mai inventive în arta războiului!

11. Prima campanie a lui Traian în Dacia (101–102 p. Chr.)

La 25 martie 101, Traian pleacă de la Roma pentru a prelua comanda legiunilor de la Dunăre. El merge în fruntea unei coloane care va înainta prin Banat și Munții Apuseni. Alte două coloane vor trece Carpații mai la răsărit. Dar rezistența dacilor e atât de dârză, iar cetățile lor din munți atât de greu de cucerit, încât o dată venită iarna, armatele romane au trebuit să-și oprească atacurile până primăvara. Abia în toamna anului 102 izbutește Traian să ocupe atâta teritoriu dacic și atâtea cetăți, încât Decebal cere pace. Se încheie pacea, Decebal angajându-se să dărâme toate fortificațiile sale, să predea toate armele și să primească în mai multe puncte de pe teritoriul său garnizoane romane, făgăduind totodată să rămână aliat credincios al Romei.

Podul lui Traian de la Drobeta

Acest pod a fost construit la porunca lui Traian de către marele arhitect Apollodor din Damasc. Considerat pe drept cuvânt una dintre minunile tehnicii romane, podul avea o lungime de peste 1 km. Structura sa, cu excepția picioarelor de piatră, era făcută din lemn.

Dar Decebal nu se ține de cuvânt, nu respectă stipulațiile tratatului, repară cetățile, își procură noi arme, ba se încumetă chiar să trimită soli departe, la dușmani de-ai Romei, pentru a cere ajutor.

Atunci Traian pune să se clădească un mare pod pe Dunăre, lângă orașul dac Drobeta (azi Turnu-Severin), care era ocupat de romani. A chemat pentru această lucrare un arhitect vestit, Apollodor din Damasc (Damascul este azi capitala Siriei). Vedeți până unde se întindea împărăția romană! Podul lui Apollodor era o realizare tehnică extraordinară pentru acele vremuri; rămâne un mister cum știau ei să clădească de pe atunci stâlpi de piatră sau cărămidă, pe fundul unei ape adânci, străbătută de un curent puternic. Lumea s-a minunat de această uimitoare realizare. Și noi știm și azi cum arăta. Căci o a doua minune este că ni s-a păstrat până azi, în inima orașului Roma, columna monumentală ce s-a ridicat spre gloria eternă a împăratului Traian, după sfârșitul celui de al doilea război dacic. Și pe această înaltă columnă

În apropierea actualei comune Adamclisi, în Dobrogea, a avut loc cea mai sângeroasă luptă dintre romani și daci. Aliați ai dacilor, războinicii sarmați (în dreapta) erau echipați cu armuri din solzi de fier.

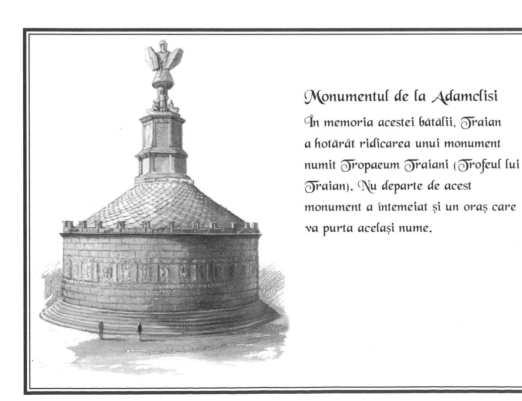

Monumentul de la Adamclisi

În memoria acestei bătălii, Traian a hotărât ridicarea unui monument numit Tropaeum Traiani (Trofeul lui Traian). Nu departe de acest monument a întemeiat și un oraș care va purta același nume.

(atât de înaltă că îți vine amețeala când vrei s-o privești de jos în sus) se încolăcește o imensă și largă panglică de marmură pe care sunt sculptate în basorelief sute de scene din cele două războaie dacice. Ni se povestește acolo, în imagini, ca în modernele benzi desenate cu care sunteți obișnuiți, toată desfășurarea, în timp și spațiu, a celor două campanii. Acolo vedem aidoma cum arăta podul de peste Dunăre, cum se aduna armata romană, cum se adresa împăratul ostașilor săi, cum arătau cetățile dace și cum erau asediate; vedem scene de luptă unde se pot recunoaște perfect veșmintele și armura luptătorilor din ambele tabere. Ba avem scene și cu populația civilă, care fuge din orașe sau, dimpotrivă, se întoarce după pacificare, cu bătrâni, femei, copii și animale domestice, în special boi. Amănuntele sunt atât de precise, că s-a putut observa până și cusătura cămășii femeilor dace, care se regăsește întocmai pe ia țărăncii românce!

Abundența informațiilor pe care ni le-a păstrat Columna lui Traian despre războaiele dacice e un fenomen aproape unic în istoria antică. Deci, bizuindu-mă pe acest „film" încremenit până azi la Roma și pe relatările câtorva cronicari, pot să vă spun câteva cuvinte și despre al doilea război din Dacia și despre prefacerea acesteia în colonie romană.

12. A doua campanie a lui Traian în Dacia (105–106 p. Chr.)

În iunie 105 Traian pornește iar din Roma către Dunăre. Și cum credeți că vine? Taie de-a curmezișul Italia (uitați-vă pe hartă!) de la Roma până la Brindisi, un port la „călcâiul cizmei" italice. Pe acolo trece drumul cel mai scurt pe Marea Adriatică până în Albania, la Durazzo (azi Durrës), de unde merge pe uscat până în Banatul de azi.

Al doilea război al lui Traian în Dacia a fost mai scurt, durând totuși un an întreg, din vara lui 105 până în vara lui 106. Trei coloane au înaintat prin munți către capitala lui Decebal, Sarmizegetusa, în sud-vestul

105–106 p. Chr.: a doua campanie a lui Traian în Dacia

27

Transilvaniei, lângă Grădiștea de azi. După lupte grele, romanii au reușit să cucerească orașul, pe care l-au ars și distrus în întregime, cum făcuseră odinioară cu falnica cetate africană Cartagina. Decebal își părăsise reședința și fugea însoțit de câțiva luptători credincioși către răsărit, unde mai avea și alte cetăți. Dar e prins din urmă de cavaleria romană. Atunci, ca să nu fie captiv și să figureze la Roma în carul triumfal al lui Traian — cum fusese cu un veac și jumătate înainte căpetenia galilor, Vercingetorix — neîmpăcatul rege dac se sinucide, tăindu-și beregata cu paloșul. Scena apare sculptată, dramatic, pe Columna lui Traian.

Cu moartea lui Decebal se încheie și era de libertate și împlinire a poporului dac. Traian transformă regatul lui Decebal în provincie romană. Mii de luptători daci au pierit, alte mii au căzut prizonieri, alte mii au fugit peste Carpați, către răsărit — lor li se va spune „dacii liberi" —, iar de acolo, împreună cu alte neamuri, și ele ostile Imperiului Roman, vor duce o luptă neîncetată de hărțuire a garnizoanelor romane.

Dar n-a putut fugi toată populația! De altfel vedem pe Columna lui Traian scene cu grupuri de daci care vin să se supună comandanților romani. În orice caz, au rămas femeile, copiii, bătrânii, invalizii. Cu ei se vor amesteca noii locuitori, coloniști aduși de conducerea de la Roma.

13. Dacia, colonie romană

Ce însemna pe atunci o colonie romană? Însemna că *țara era administrată direct de la Roma*. Împăratul l-a desemnat imediat ca guvernator pe unul dintre generalii care-l însoțiseră în campanie. Au rămas pe loc, după nevoi, două sau trei legiuni. S-au trasat drumuri noi, căci romanii erau maeștri în construcția drumurilor. (Știați că printr-o trecătoare a Carpaților mai dăinuiește o porțiune de șosea construită de romani, cu lespezi mari de piatră? Așa de trainice erau aceste lucrări ale romanilor!) Dar podul pe Dunăre de ce s-a

Imagine dintr-un oraș roman al Daciei

În Dacia, romanii au construit orașe prospere ce nu erau
cu nimic mai prejos decât alte orașe ale Imperiului. În Dobrogea,
de asemenea, vechile porturi grecești devenite în timp romane erau pline de monumente frumoase, ca și
orașele noi, construite de romani de-a lungul Dunării. Astăzi e greu să ne închipuim cum arătau acele orașe,
mai ales din cauza distrugerilor provocate în timpurile moderne, când piatra ruinelor monumentelor antice a
fost folosită de localnici pentru propriile construcții. În capitala Daciei romane, Ulpia Traiana
Sarmizegetusa, aflată la șes, la câțiva zeci de kilometri de ruinele celeilalte Sarmizegetusa, cea dacică,
ascunse în munți, au fost dezgropate ruinele mai multor temple, un impresionant forum și un mare amfiteatru,
cel mai bine păstrat de la noi.

năruit? Fiindcă tot romanii l-au dărâmat după câteva zeci de ani, când
au început să pătrundă mai năvalnic în Dacia niște barbari germanici.
Le-a fost teamă romanilor ca podul, în loc să le folosească de la sud
la nord, să nu folosească în sens invers barbarilor ca să pătrundă mai
adânc în provinciile imperiului de la sud de Dunăre. Atunci au stricat

atât de mult puntea, adică partea superioară, „șoseaua" propriu-zisă, că n-au rămas decât stâlpii, pilonii înfipți în apă. S-au mai văzut unii dintre ei până la începutul veacului al XIX-lea. Deci, abia în epoca contemporană au dispărut ultimele urme ale acestei construcții de acum două mii de ani!

Dar, mai cu seamă, transformarea Daciei într-o colonie romană presupunea *intensa ei colonizare* cu populații aduse din alte părți ale imperiului. Un istoric roman ne și spune lămurit că, Dacia „fiind golită de bărbați", Traian a adus acolo „o mulțime de lume din toată împărăția romană". De unde să-i fi adus? Desigur mai întâi din provincii vecine, cum era Iliria, romanizată de 200–300 de ani. Dar și din Italia, mai cu seamă Italia de sud, de unde țăranii marilor moșii plecau, fiindcă erau înlocuiți din ce în ce mai mult de sclavi.

Și știți ce a mai favorizat recrutarea de noi coloniști? *Vestea că în Dacia se găsea aur*. Din minele de aur ale Munților Apuseni își trăgeau regii daci averea și puterea. Decebal adunase un tezaur uriaș despre care nu se știa unde e ascuns, când un ostaș dac luat prizonier, ca să scape de captivitate sau de pedeapsa cu moartea, a dezvăluit comandanților romani unde era îngropată comoara: nu departe de Sarmizegetusa, sub albia unui râu! Atunci, armata romană a schimbat cu ajutorul captivilor cursul râului și, săpând la locul indicat, a găsit imensul tezaur al lui Decebal. Cu asta a putut Traian să reevalueze moneda de aur a Romei și să clădească superbe monumente la Roma. Iar vestea răspândindu-se în toată împărăția, fără îndoială că i-a îndemnat pe mulți să vină să colonizeze Dacia, o țară în râurile căreia curgea aur!

Pe lângă exploatarea minelor — nu numai de aur ci și de argint, aramă și sare — romanii au favorizat, desigur, și agricultura. Mai cu seamă au refăcut orașele dacice și au clădit unele urbe noi, ca de pildă capitala Ulpia Traiana, nu departe de vechea capitală a dacilor, Sarmizegetusa Regia. Toate acestea aveau, ca și în restul împărăției, case de piatră sau cărămidă, forumuri (piețe), temple, băi publice, teatre, arene de jocuri, iar străzile aveau pavaj — în latină, *pavimentum* —, de unde s-a tras cuvântul românesc „pământ"!

14. Năvălirea barbarilor. Legiunile romane părăsesc Dacia (271 p. Chr.)

Atât de repede se integrase noua provincie, Dacia, în lumea romană, și atâtea semne de belșug dădea, că au început să apară la Roma monede cu inscripția DACIA FELIX, *Dacia fericită*. Provincia era mai puțin întinsă decât fusese odinioară regatul dac: Dacia romană cuprindea efectiv Oltenia, o mică fâșie din Muntenia, Banatul și cam trei sferturi din Transilvania. În Muntenia și în sudul Moldovei existau doar câteva posturi militare, mici cetățui și fortificații.

Fericirca a fost însă de scurtă durată. Triburile barbare, care la granițele imperiului pândeau cel mai mic semn de slăbiciune a puterii romane, au început să atace din ce în ce mai des, mai violent și din

Harta Europei și întinderea maximă a Imperiului Roman în vremea lui Traian (sec. al II-lea p. Chr.).

mai multe părți. La un moment dat, prin anii 250, profitând de dezbinări la Roma, adică certuri între mai mulți generali pentru a pune mâna pe putere, un neam germanic, *goții*, năvălind dinspre părțile Ucrainei de azi, prin răsăritul Basarabiei și Dobrogea, reușesc să străpungă toată apărarea romană, până departe, la sud de Dunăre. Vă închipuiți grozăvia? Dacia cea bogată era încercuită la răsărit și la sud de hoardele străine. A venit grabnic chiar împăratul și, după lupte grele, i-a respins pe goți împingându-i dincolo de Nistru.

Dar atacurile la graniță au fost de-atunci neîncetate, astfel încât, temându-se că nu va mai putea apăra o provincie atât de îndepărtată,

Luptele goților cu romanii

împăratul Aurelian ordonă, în anul 271, retragerea legiunilor și a întregii administrații din Dacia. Bineînțeles, speriați de a fi rămas neapărați de armata romană, mulți dintre coloniști, îndeosebi cei din orașe și oamenii mai bogați, s-au retras și ei o dată cu legiunile. Au fost duși la sud de Dunăre de către împăratul Aurelian, care a organizat acolo două noi provincii: una în sudul Serbiei de azi și alta în vestul Bulgariei cunoscute sub numele de *Dacia aureliană*.

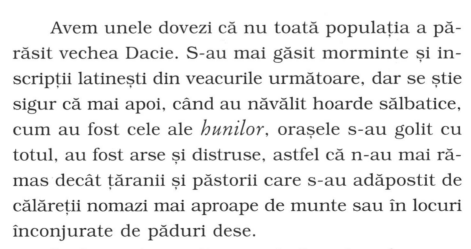

Opaiț de bronz descoperit în apropiere de Hârșova, în Dobrogea

Vechi de 1500 de ani, acest opaiț împodobit cu o cruce pare să fi aparținut unor creștini. Opaițele au fost din Antichitate până târziu, în Evul Mediu, principala sursă de lumină în locuințe. Rezervorul era umplut cu seu de oaie, iar în interior exista un fitil care ieșea printr-un „cioc".

Avem unele dovezi că nu toată populația a părăsit vechea Dacie. S-au mai găsit morminte și inscripții latinești din veacurile următoare, dar se știe sigur că mai apoi, când au năvălit hoarde sălbatice, cum au fost cele ale *hunilor*, orașele s-au golit cu totul, au fost arse și distruse, astfel că n-au mai rămas decât țăranii și păstorii care s-au adăpostit de călăreții nomazi mai aproape de munte sau în locuri înconjurate de păduri dese.

La început, acești romani rămași pe loc s-au putut înțelege cu noii stăpâni goți, care se mulțumeau să le ceară dijmă din bucatele lor. Au fost regi goți care s-au și creștinat, căci creștinismul se răspândise deja și în rândul populației daco-romane, cum

Fastul și strălucirea Curții imperiale de la Constantinopol

Curtea împăraților bizantini era atât de frumoasă, încât a stârnit admirația tuturor celor care au vizitat-o. Constantinopolul era botezat de contemporani „orașul-regină", iar împăratul era considerat unsul lui Dumnezeu pe pământ și se purta ca atare. Era învesmântat în purpură și nestemate, iar ceremoniile care însoțeau ieșirea sa în public erau adevărate spectacole de strălucire.

o dovedesc toate cuvintele latinești rămase în limba noastră, precum: Dumnezeu (*Dominus deus*), cruce, biserică, cuminecare, rugăciune etc. Unul dintre regii goților, care a domnit prin părțile noastre, chiar și-a zis *jude*, nume latinesc prin care localnicii îl desemnau pe șeful comunității lor, acesta fiind administrator și totodată judecător.

34

Goții, care se așezaseră mai cu seamă în sudul Moldovei și în Muntenia, după câteva generații au părăsit locurile noastre, fiind atrași de bogățiile de la Constantinopol și Roma. Au trecut Dunărea și s-au războit cu romanii până au obținut învoirea de a se stabili în părțile apusene ale imperiului, pe teritoriile Italiei, Franței, Spaniei de astăzi.

15. Imperiul Roman se împarte în două: cel de Apus și cel de Răsărit!

Aici e momentul să vă semnalez un eveniment de mare însemnătate pentru viitorul Europei întregi: în anul 395, la moartea împăratului roman Theodosius, într-o perioadă când armatele romane — din ce în ce mai mult formate din trupe de „federați" barbari — nu mai reușeau să împiedice pătrunderea unor noi invadatori barbari peste imensa graniță a imperiului, domnia a fost împărțită între cei doi fii ai împăratului, unul stăpânind la Roma, iar celălalt la Constantinopol. Oamenii de-atunci au crezut că e o măsură vremelnică, o necesitate de moment, iar împărăția tot una și indivizibilă rămânea.

Dar ce a vrut omul n-a vrut Dumnezeu și, din cauza vremurilor din ce în ce mai grele, împărțirea aceea a devenit definitivă. Și știți voi ce urmări a avut această împărțire? La apus s-a vorbit în continuare latinește, iar în fruntea Bisericii a rămas episcopul Romei, numit Papă. La Constantinopol, după anul 600 a fost adoptată limba greacă ca limbă oficială, iar cap al Bisericii a fost considerat Patriarhul de la Constantinopol.

395 p. Chr.: Imperiul Roman se împarte în două, având capitalele la Roma și Constantinopol

35

Și așa, încetul cu încetul, crescând deosebirile dintre practică și gândire, s-a născut pe de o parte Biserica Catolică și, pe de alta, cea numită Ortodoxă. Înțelegeți acum de ce v-am pomenit aici de împărțirea Imperiului Roman de acum 1600 de ani?

La apus, împărăția romană s-a prăbușit total în anul 476, când n-au mai fost aleși împărați, iar acea jumătate apuseană a imperiului s-a fărâmițat în mici formațiuni, fiecare fiind condusă de câte un neam de barbari germanici. E bine să cunoașteți măcar numele câtorva dintre aceste neamuri; ei erau: *ostrogoții*, adică goții din răsărit, *vizigoții*, adică goții din apus, care vor ajunge în Spania și vor constitui acolo un mare regat, *francii*, care vor sta la originea regatului Franței, *vandalii*, a căror expansiune va atinge Tunisia de azi, *longobarzii*, viitori locuitori ai Italiei, *anglii* și *saxonii*, care trec Marea Nordului și se așază în Arhipelagul Britanic (de la numele lor vine cuvântul modern „anglo-saxon", dat azi locuitorilor din Marea Britanie și Statele Unite, adică vorbitorilor de limbă engleză). Măcar pe aceștia să-i țineți minte, căci ei au întemeiat cu timpul, în Evul Mediu, marile state feudale ale Occidentului (vezi harta de la pag. 42). În părțile noastre, prin Transilvania și Banat, a stat mai mult de 100 de ani alt popor germanic: *gepizii*.

Cca. 271–375 p. Chr.: goții pătrund în Dacia

Cca. 450–570 p. Chr.: gepizii sunt atestați în Dacia

434–453 p. Chr.: domnește teroarea lui Attila, „Biciul lui Dumnezeu"

16. Attila, „Biciul lui Dumnezeu"

Dar mai la apus, în pusta ungară de azi, își stabilise centrul de adunare al hoardelor sale un popor care venea de mult mai departe, din depărtările Asiei, un popor de călăreți mongoli, groaznici la vedere pentru toți europenii: *hunii*. Erau scunzi și spătoși, cu fețe negricioase și ochii mici și oblici, cum au toți cei de rasă

Diademă hunică

Diademele erau panglici făcute dintr-o foiță de aur, care se purtau pe frunte. Această podoabă de aur descoperită în Moldova are montate pietre prețioase de forme neregulate și este caracteristică popoarelor migratoare ajunse pe aceste pământuri.

Invazia hunilor în Europa acum mai bine de 1600 de ani

galbenă. Călăreau pe cai scunzi și păroși, extrem de rezistenți, iar călă-
reții erau ei înșiși în stare să stea în șa zile și nopți întregi. Carnea de
vită o vârau sub șa ca să fie bătută și să se facă mai fragedă, apoi o mân-
cau crudă! De acolo, din Ungaria de azi, unde-și așezaseră hergheliile
și unde-și ridicase cortul regele lor, au pornit timp de aproape 100 de ani
atacuri devastatoare și către sud (la Constantinopol) și către apus (în
Galia și Italia). Ultimul dintre regii lor, Attila, a ajuns atât de temut, încât
a fost numit „Biciul lui Dumnezeu", din cauza pustiului pe care îl făcea
peste tot unde călcau hoardele lui nenumărate.

În anul 451, ultimul mare roman, Aetius, în alianță cu regele vizigot
Theodoric, îl oprește pe Attila într-o mare bătălie în centrul Galiei (Franța
de azi). Attila nu și-a pierdut însă toată oastea în bătălie. S-a îndreptat

către Roma, unde nu se mai afla o putere în măsură să i se împotrivească. Dar acolo se afla episcopul cel mai venerat de creștinătate, Papa Leon I. Fără armată, numai cu crucea și cârja lui episcopală a ieșit Papa din Roma în întâmpinarea fiorosului cuceritor. Cu ce cuvinte, cu ce argumente l-o fi convins pe Attila, nu se știe — poate l-o fi cumpărat cu bani grei? —, dar regele hunilor s-a retras fără să cucerească și să pustiască Roma eternă. Lumea și-a zis atunci că fusese o minune cerească.

Doi ani mai târziu, Attila murea subit în cortul lui din pustă, iar împărăția i se năruia tot atât de iute pe cât se ivise, urmașii lui fiind învinși de o coaliție a popoarelor germanice care-i fuseseră supuse și aliate, printre care se numărau și gepizii de la noi. Europa a răsuflat un timp.

17. Avarii și slavii

567–796 p. Chr.: apar avarii în bazinul carpatic

Dar peste 100 de ani, pe aceleași locuri, adică în Ungaria de azi, a apărut o altă hoardă, venită tot de la hotarele Chinei. E vorba de *avari*, care-i alungă de pe pământul nostru pe gepizi. Despre avari trebuie să vorbim mai pe larg, fiindcă au stăpânit și în Transilvania timp de vreo 200 de ani, iar mai cu seamă o dată cu ei a pătruns și s-a stabilit definitiv în tot centrul și sud-estul Europei un neam foarte numeros, venit de prin părțile Poloniei și ale Rusiei, popor care pe vremea aceea nu era încă războinic, și anume *slavii*. Asupra avarilor și slavilor trebuie să insistăm, fiindcă aceștia din urmă se vor amesteca mai târziu cu strămoșii noștri daco-romani și de-abia după acest amestec se formează limba căreia îi zicem azi *româna*, deci un popor căruia îi putem spune poporul român. Acest amestec s-a petrecut de-a lungul multor, multor generații, chiar veacuri. Despre această întâlnire dintre daco-romani și slavi voi încerca acum sa vă vorbesc.

Avarii năvălind într-un oraș dobrogean

18. De ce ne-au zis vecinii noștri „valahi"

Aici e o întreagă poveste. Fiți atenți, ca să vedeți ce ciudată poate fi apariția numelui unui popor în sânul propriei nații sau la vecinii lui. De pildă, știți că *germanilor* de azi, care își zic ei înșiși *Deutsche*, noi le zicem *nemți*, italienii le spun *tedeschi*, iar francezii *allemands*? Așa și cu noi! Românii de la nord și sud de Dunăre și-au zis întotdeauna, de la numele antic de roman, *români*, *rumâni* sau *armâni*. Dar iată că vecinii, și chiar popoare îndepărtate, ne-au zis *valahi*. De ce? O să vi se pară un basm, dar e simplul adevăr. Am zis simplu! E un fel de a vorbi, căci vi se va părea probabil destul de complicat. Iată, așadar:

Odinioară, pe vremea Imperiului Roman, trăiau, la nord de Italia, prin Austria și Elveția de azi și în sud-estul Franței, niște triburi *celtice* (rude cu *galii* și *bretonii*), care se numeau *volcae*. Cu vremea, ei s-au lăsat romanizați și au vorbit latinește. Cum, pentru triburile germanice, ei erau cei mai apropiați vecini de limbă latină, germanii antici au început să-i desemneze pe toți vorbitorii de limbă latină prin numele de *volcae*, pe care, după specificul limbii lor, l-au schimbat în *Walh* (pronunțați „valh"!). Când au început să migreze triburile slave de prin Rusia, Ucraina și Polonia de azi către vest și sud-vest, cu popoarele germanice s-au întâlnit și s-au ciocnit mai întâi, ba le-au fost și supuse câteva veacuri, iar de la ele au aflat slavii cum se numeau neamurile care se găseau și mai departe, cele care vorbeau latinește. Și le-au zis și ei, ca nemții, *walh*, prefăcut pe limba lor în *vlah*! Iată că am rezolvat împreună o problemă „lingvistică", adică de studiu al limbilor...

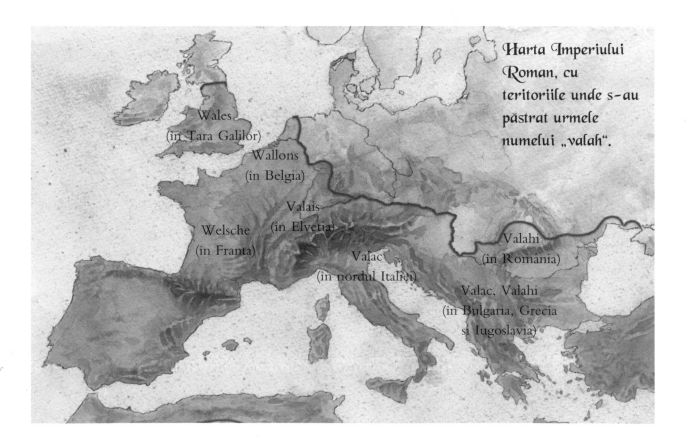

Wales
(în Țara Galilor)

Wallons
(în Belgia)

Valais
(în Elveția)

Welsche
(în Franța)

Valac
(în nordul Italiei)

Valahi
(în România)

Valac, Valahi
(în Bulgaria, Grecia
și Iugoslavia)

Harta Imperiului Roman, cu teritoriile unde s-au păstrat urmele numelui „valah".

Și aflați că această denumire de walh / vlah nu ne-a rămas numai nouă, românilor, ci unei serii întregi de popoare de-a lungul imensei frontiere a fostei împărății romane. Ia luați atlasul vostru și uitați-vă la harta Europei! Vedeți insula unde e situată Anglia? Provinciei care arată ca o umflătură spre vest i se spune Țara Galilor — pe englezește, *Wales* —, iar denumirea tot de la *Walh* vine, căci și acolo a fost o colonie romană. Dar mai la sud, pe continent, cum li se zice vorbitorilor de limbă franceză din Belgia? Li se zice *walloni* — același cuvânt! Tot așa, un district francofon din Elveția se numește *Valais*, iar polonezii le zic italienilor valahi, ca și românilor. Și bineînțeles că acest nume de „valah" a fost pronunțat într-un fel într-o limbă, în alt fel în alta: de pildă „voloh" la ruși, „oláh" la unguri, „iflak" la turci!

V-am spus prea multe lucruri noi deodată? Atunci să facem o mică pauză.

19. Cum s-au amestecat slavii cu valahii

Acum v-am spus că tuturor neamurilor vecine cu strămoșii din împărăția romană, vecinii lor germani, apoi și slavii, le-au zis *vlahi* sau *valahi*; așa că îi vom numi și noi la fel pe strămoșii noștri daco-romani până la amestecul lor cu unele dintre semințiile ce au trecut prin țara noastră, din care au ieșit, cu vremea, limba și națiunea română. Să vedem mai întâi cum au pătruns slavii în toată Peninsula Balcanică și, de asemenea, în părțile noastre dar în număr mai mic.

Am vorbit mai sus de „năvălirea barbarilor". Expresia asta trebuie să vă evoce îndată sălbatice incursiuni a zeci de mii de călăreți năprasnici, care ard satele, cuceresc orașele, ucid fără milă locuitorii, cu femei și copii cu tot... Aceasta e cu adevărat — în invaziile hunilor de pildă, porniți numai pe pradă și distrugere — nimicire a tot ce e străin. Dar au fost și alte mișcări de populații, mai domoale, mai încete. În cele din urmă, Imperiul Roman a fost subminat și dărâmat mai puțin de atacuri pustiitoare

Sec. al VI-lea p. Chr.: slavii se infiltrează prin părțile noastre

Harta Imperiului Bizantin (a Imperiului Roman de Răsărit) în secolele al VI-lea–al VIII-lea și direcțiile de năvălire a popoarelor migratoare.

ca ale hunilor, și mai mult de lenta penetrație a hotarelor lui a zeci de neamuri, fiecare cu zeci sau sute de mii de suflete, popoare întregi mânate de regii sau căpeteniile lor, cu bărbați înarmați, dar și cu femei, copii și bătrâni, cu sculele și căruțele lor, cu vitele și caii lor, familii, clanuri, triburi întregi în căutare de noi locuri de așezare. Așa că acelei gigantice mișcări de populații, care în câteva sute de ani va năpădi cea mai mare parte a teritoriului imperiului și va sfârși prin a pune capăt străvechiului și falnicului stat roman, i se cuvine mai curând numele de „migrație a popoarelor" decât cel de „năvălire a barbarilor".

Slavii, înmulțindu-se peste măsură în locurile lor de sălaș și auzind de belșugul de dincolo de *limes*-ul roman — care, în linii mari, urma în Europa cursul Dunării, de la izvorul din vestul Germaniei și până la vărsarea în Marea Neagră —, au început să se urnească încetul cu încetul, în grupuri mai mici sau mai mari, pătrunzând dincolo de *limes* în căutare de noi locuri de așezare. Adesea erau respinși sau luați în robie fie de triburile germanice, fie de romanii din interiorul imperiului.

Și, cu acest prilej, să vă învăț ceva extraordinar: de la numele acesta generic de popor *slav* s-a născut cuvântul *sclav*, adică rob, fiindcă italienii nu pot pronunța grupul „sl" fără să-i strecoare la mijloc un „c"! V-am spus că vă învăț ceva extraordinar?

Dar pe măsură ce Roma a slăbit și nu și-a mai putut apăra granițele, slavii au profitat de dezordini, de războaiele cu goții, de pustiirile pricinuite de huni, și au pătruns tot mai mulți și tot mai adânc în regiunile răsăritene ale imperiului sau în preajma lor: în Panonia (Ungaria de azi), Dacia, Dalmația (Croația și Serbia), Moesia și Tracia (Bulgaria). Cu vremea, au devenit mai îndrăzneți și au luptat cu împărăția bizantină (adică fosta parte răsăriteană a Imperiului Roman) pentru a fi lăsați să se stabilească în regiunea Iugoslaviei moderne. Iar, cum vă spuneam mai sus, când au ajuns în Europa, pe la mijlocul veacului al VI-lea, adică aproximativ în anul 550, avarii, foarte războinici și foarte bine organizați, s-au așezat la rândul lor în pusta panonică, cu herghelii cu tot. Și atunci slavii din mai toate împrejurimile Panoniei — în termeni actuali, Moravia, Slovacia, România, Iugoslavia — s-au supus de bunăvoie *kagan*-ului, adică împăratului avar și, însușindu-și arta războiului de la acești nomazi fioroși, i-au însoțit în toate incursiunile lor înăuntrul Imperiului Bizantin.

575 p. Chr.: avarii și slavii atacă Salonicul

Au fost clipe de mare primejdie pentru Imperiul Bizantin. În anul 597 p. Chr., avarii și slavii au asediat marele oraș Salonic (Thessaloniki, în limba greacă) și, pentru că n-au izbutit să ia cetatea apărată de jur-împrejur cu ziduri puternice, localnicii au zis că-și datorau salvarea intervenției Sfântului Dumitru, patronul spiritual al orașului. Iar în anul 626, pe când împăratul Bizanțului se lupta în răsărit, în Asia, în mare încleștare cu regele perșilor, avarii au asediat Constantinopolul și au fost cât pe ce să-l cucerească. Retragerea lor după câteva săptămâni de lupte a fost atribuită de creștini — căci avarii erau păgâni! — unei intervenții cerești a Maicii Domnului. (Dacă mergeți să vizitați minunatele noastre mănăstiri din Bucovina, veți putea vedea zugrăvită pe frescele exterioare ale câte unui perete de biserică scena acestui asediu și apariția

626 p. Chr.: asediul Constantinopolului

Sat slav

Satele slavilor, ca și cele ale românilor, erau formate mai mult din bordeie mici și sărăcăcioase. În jurul satelor se săpa un șanț adânc, iar din pământul scos se ridica un val de pământ. Pe valurile de pământ se înfigeau pari ascuțiți, satul putând fi astfel mai lesne protejat de invaziile dușmanilor.

miraculoasă a Sfintei Fecioare sus pe ziduri... Numai că ostașii care împresoară cetatea poartă turbane și trag cu tunul, ca turcii care au cucerit Constantinopolul în 1453!... Așa se împletesc legenda și credința cu istoria trăită.)

Așadar, slavii mânați de avari pătrund adânc în Peninsula Balcanică. Ei însă nu fac, ca avarii, doar invazii pentru pradă, pentru a se întoarce la locul lor din Panonia. Slavii se așază acolo unde ajung și nu mai pleacă. Astfel, au năpădit toată Iugoslavia modernă, viitoarea Bulgarie (vechea Tracie) și Macedonia. Ba au mai ajuns și în depărtările Peloponesului, acea mare peninsulă a Greciei continentale (care se vede pe hartă ca o mână cu doar patru degete, intrând în albastrul Mediteranei). Acolo, când se

44

va mai întrema Imperiul Bizantin în veacurile următoare, se va întreprinde o îndelungată și tenace acțiune de reelenizare a provinciei, astfel încât din prezența slavilor nu vor mai rămâne decât câteva nume de locuri. Chiar pentru desemnarea întregii provincii a Peloponesului s-a folosit timp de veacuri, în toate limbile, un termen slav: Moreea.

La noi, adică în spațiul carpato-dunărean, lucrurile s-au petrecut altfel. Transilvania, Moldova, Muntenia (Valahia), cu imensele lor păduri, nu erau drumul direct pentru a te apropia de bogățiile Constantinopolului și ale împărăției. Un astfel de drum trecea de-a lungul Mării Negre, prin sudul Basarabiei și Dobrogea, dar pe acolo s-au scurs alte semniții, ca sciții (iranienii) sau, mai târziu, protobulgarii, iar apoi tătarii, deci nu slavii. Slavii au mers mai curând din Panonia (Ungaria) către sud. Totuși, ei au pătruns și în părțile noastre, cam peste tot, așezându-se mai cu seamă prin văile râurilor și în câmpii potrivite pentru agricultură.

În documente târzii, rusești sau ungurești, din secolele al X-lea–al XII-lea, avem dovada că atunci mai erau încă așezări slave pe tot teritoriul nostru. Și apoi nu vedeți câte nume de râuri, de locuri și orașe ne-au lăsat? Ialomița, Dâmbovița, Prahova, Ilfov, Neajlov, Milcov, Bistrița, Târnava etc. Apoi Craiova, Târgoviște, Slatina, Râșnov, Brașov etc. Toate acestea sunt nume slave! Deci nu ne putem închipui că ei doar au trecut prin locurile noastre și s-au dus mai departe. De asemenea, ne-au lăsat multe cuvinte din viața satului și a muncilor agricole: *ogradă, prispă, izlaz, luncă, dumbravă, movilă. Plugul* și *grebla* sunt de asemenea slave, ca și numele unor orătănii precum *gâsca* și *lebăda*, sau al altor mici viețuitoare ca *veverița* sau *cârtița*. Toate acestea sunt semn că numeroase grupuri slave trebuie să se fi așezat statornic nu departe de populația valahă, care a rămas legată de pământ încă de pe vremea romanilor. Dar în primele veacuri ei încă nu se amestecaseră. Valahii, pățiți cu ceilalți nomazi mai agresivi, s-or fi ținut multă vreme mai deoparte. Există și un râu căruia până mai ieri i se zicea Răpedea de la izvor până spre câmpie, iar de-acolo i se spunea Bistrița, ceea ce în limba slavă înseamnă tot *repedea*! Ce vă spune asta? Că valahii se țineau mai la munte și încă nu se amestecau cu slavii nou-veniți, care puseseră mâna pe câmpia rodnică!

Dar în Muntenia, v-ați întrebat vreodată de ce avem un județ cu numele de Vlașca, și de ce aveam până în plin secol XIX o imensă pădure la nord de București, căreia i se zicea Codrul Vlăsiei? Acestea erau nume date de locuitorii slavi unor regiuni locuite numai de valahi! Vlașca înseamnă *valaha*, iar Vlăsia se trage din *vlasi*, care în limbile slave e pluralul de la *vlah*. Deci: Codrul Valahilor!

Câtă vreme avarii au fost puternici, neînvinși în reduta lor din pusta Panoniei, ei i-au ținut pe slavi și pe valahi într-un fel de dominație sau vasalitate (dar e mai potrivit să nu folosim acest cuvânt înainte să fi apărut sistemul feudal, în Occident, prin veacurile al X-lea–al XI-lea). Și iată că, deodată, spre sfârșitul secolului al VIII-lea, în jurul anilor 795–796, imperiul avar se prăbușește sub loviturile marelui împărat Carol cel Mare, rege al francilor, domnitor și peste teritoriul actualelor Franța și Germania și peste cel al Italiei de azi. Acesta va fi încoronat de Papă împărat în anul 800 p. Chr., reînființându-se în intenția papalității Imperiul Roman (de Apus). E bine să știți că pe acest mare împărat francezii îl numesc Charlemagne (contragere a latinescului *Carolus Magnus*), iar nemții Karl der Grosse. Și ce credeți că a ieșit din acest nume prestigios, Karl, nume de rege la slavi (*kralj*), la unguri (*király*) și la români (crai)? Vedem de aici, ca și în cazul numelui lui Cezar, ce răsunet nemaipomenit îl au numele oamenilor de excepție în imaginația popoarelor.

795–796 p. Chr.: Carol cel Mare, regele francilor, îi înfrânge pe avari

20. Apare un nou popor turanic: bulgarii

Am văzut deja năvălirea a două popoare venite din Asia: hunii și avarii. Erau deosebite de neamurile indo-europene, cărora le aparțineau printre alții grecii, latinii, tracii, dacii, ilirii, celții, germanii. Acelor popoare originare din Asia centrală, vorbind limbi înrudite între ele de departe, savanții le-au dat numele generic de *popoare turanice*. Printre turanici îi socotim pe turci, tătari, huni și avari.

Și iată acum că în jurul anului 600, puțin după avari, sosește la granița Imperiului Bizantin, chiar în Delta Dunării, un nou trib războinic: *bulgarii*. Aceștia vorbeau o limbă turcă înrudită cu cea a turcilor otomani, pe care-i vom cunoaște cu vreo câteva sute de ani mai târziu! Pentru a evita confuziile dintre diversele limbi sau dialecte turce, savanții au făurit un nume special pentru domeniul limbilor acestor popoare: se zice despre fiecare dintre ele că e o limbă *türk*, după cum, de pildă, româna și italiana sunt limbi *neolatine*. Aceia dintre voi care știu germana, vor ști cum se pronunță *türk*!

Pe de altă parte, ca să-i deosebim pe acești călăreți nomazi ce vor întemeia statul căruia i se va zice bulgar, după numele grupului fondator, de poporul bulgar de mai târziu și de azi, ne-am obișnuit să le spunem *protobulgari*, adică „primii bulgari" sau „bulgarii de mai înainte".

Vas de aur din tezaurul descoperit la Sânnicolaul Mare (jud. Timiș), în 1799
Deoarece în acea vreme Banatul era încă sub stăpânire austro-ungară, tezaurul din vase de aur a fost dus la Viena. Se pare că acest tezaur a aparținut protobulgarilor, acum mai bine de 1200 de ani.

681 p. Chr.: bulgarii trec Dunărea, de la gurile Nistrului în Dobrogea

Acești protobulgari, după ce s-au luptat câteva zeci de ani pentru a-l sili pe împăratul bizantin de la Constantinopol să le lase o țară care se întindea de la Dunăre până la Munții Balcani, incluzând Dobrogea, s-au luptat și împotriva avarilor. Aceștia au fost astfel prinși în clește între bulgari și împărăția francă a lui Carol cel Mare, iar împărăția lor s-a prăbușit cu totul, de nu s-a mai pomenit de ei. Acestea se petreceau prin anul 800. Și atunci, timp de un veac, împărăția francă și acea putere a protobulgarilor, cârmuită de un *han*, au fost vecine pe Tisa! Hanul bulgarilor, care a început să-și zică *csar* (sau țar), adică *chezar* sau *cezar*, a stăpânit și peste o mare parte din țara noastră de azi. Și întrucât cu vremea acest trib de cuceritori turanici adoptase limba

Cca. 800 p. Chr.: protobulgarii se învecinează cu francii pe Tisa!

47

Sculptură reprezentând un leu,
veche de 1100 de ani

Provine de la o clădire importantă (palat
sau biserică) a vechilor bulgari.

865 p. Chr.: țarul
Boris al bulgarilor
se creștinează
împreună cu tot
poporul său

slavilor din acele părți, a apărut o țară de limbă slavă ce s-a numit Bulgaria.

În anul 865 se întâmplă un eveniment major în istoria bulgarilor și a întregii Peninsule Balcanice: țarul Boris trece la creștinism și își silește tot poporul să se boteze. Patriarhul grec (bizantin) de la Constantinopol trimite mulți preoți să organizeze noua Biserică.

21. La slavi, frații Chiril și Metodiu propovăduiesc Evanghelia și inventează alfabetul chirilic

863 p. Chr.: la slavi,
frații Chiril și
Metodiu
propovăduiesc
religia creștină

Tocmai pe atunci, doi frați de la Salonic, învățați și evlavioși, Chiril și Metodiu, inventaseră un alfabet care să se potrivească limbilor slave și traduseseră Sfânta Scriptură și liturghia creștină răsăriteană în limba *slavonă*. Acestuia i se va zice mai târziu *alfabetul chirilic*, de la numele unuia dintre cei doi frați. E alfabetul cu care mai scriu și azi bulgarii, sârbii și rușii, *și cu care am scris și noi până mai ieri,* adică până la domnia lui Cuza-Vodă, domnul Unirii Principatelor, din 1859.

În acea vreme, când stăpânirea bulgară s-a întins și la nord de Dunăre, Biserica de la Constantinopol s-a străduit să reorganizeze, cu acea limbă slavonă și acel alfabet chirilic, vechea Biserică creștină de la noi. Atunci au intrat în limba noastră multe, foarte multe cuvinte slave privitoare la

48

slujba religioasă și la organizarea Bisericii, precum: *popă, vlădică, stareț, clopot, strană, schit, vecernie, spovedanie, prohod* etc. De atunci am fost noi legați de Biserica de Răsărit, ce și-a zis mai târziu „ortodoxă", adică a dreptei credințe, pe când cea de Apus, dependentă de Papa de la Roma, și-a zis „catolică", adică universală (ambele cuvinte sunt, la origine, grecești!).

22. Cneji, juzi și boieri

Acea vremelnică dominare la noi a țaratului protobulgar trebuie să fi favorizat apariția unor mici căpetenii locale cărora li se spunea *cneji*, cuvânt răspândit la toate popoarele slave (de pildă, în Rusia, până la revoluția bolșevică din 1917, care a răsturnat regimul țarilor, termenul de *kniaz* era sinonim celui de *prinț*, cel mai înalt titlu nobiliar!). Iar căpetenia unei comunități valahe, cum v-am mai spus, era denumită cu un vechi cuvânt latin: *jude*. Pe măsură ce s-au apropiat și s-au amestecat slavii cu valahii pe tot cuprinsul țării noastre (pentru a vorbi mai savant: prin tot spațiul carpato-dunărean), jude și cneaz au devenit termeni oarecum echivalenți. Cei mai îndrăzneți, mai întreprinzători și mai puternici dintre ei vor fi viitorii *boieri*, mari stăpânitori de moșii, căpetenii de oști și înalți dregători în voievodatele românești de mai apoi. Vă semnalez, în treacăt, că de la bulgari am preluat noi termenul de „boier", adică de nobil, membru al categoriei celei mai înalte a societății.

23. Moșneni, răzeși și rumâni

Cei mai mulți însă dintre cneji și juzi au ajuns doar să alcătuiască o categorie — la început numeroasă — de țărani liberi, posedând pământuri în *devălmășie*, adică în comun, fiecare familie lucrând cât pământ putea cu brațele membrilor ei. Acestor țărani liberi — *slobozi* era termenul medieval, de origine slavă — li s-a spus *moșneni* în Muntenia și *răzeși* în Moldova.

Dar în primele timpuri, când unii dintre valahi au cutezat să se apropie de așezările slavilor care puseseră mâna pe multe văi cu pământuri rodnice, ei n-au avut un pământ al lor, care să le aparțină, și au lucrat deci pe moșiile altora (la început, aceștia crau majoritar slavi). Și fiindcă ei înșiși își ziceau *rumâni*, numele acesta a devenit sinonim cu cel de țăran fără pământ, lucrând la stăpân, fiind adică *șerb*. Acestui țăran șerb i s-a zis, pe alocuri, și *vecin*, tot cu un cuvânt latinesc.

24. Ungurii năvălesc în Europa și se așază în pusta Panoniei

Puțin înainte de anul 900 apare, în marea câmpie din centrul Ungariei de azi un nou popor de călăreți nomazi: ungurii, numiți și maghiari. Erau și ei de îndepărtată origine turanică, vorbind o limbă din familia lingvistică *fino-ugrică*, ai cărei principali vorbitori mai sunt azi, în Europa, finlandezii și estonienii. Conducătorul care i-a adus în Panonia se numea Árpád. Așezați în

Primii unguri

Ungurii veniți din stepele asiatice erau crescători de animale (de cai, în special) și războinici temuți.
Aveau o viață nomadă, ei călătorind permanent în căutare de pășuni pentru vite.

pusta devenită ungară, unde se puteau hrăni marile lor herghelii și unde au mai găsit câțiva *păstori romani* (așa spune cronica), ungurii, timp de zeci de ani, au pornit razii năprasnice în țările apusene, până departe, în sudul Franței și în Spania, de unde li s-a dus faima în tot Apusul pentru pustiirile lor. Și tot așa până ce un rege al Germaniei, încoronat mai târziu ca împărat, Otto I, i-a învins într-o mare bătălie la Lechfeld (în Bavaria), în anul 955. De atunci, ungurii s-au așezat, au devenit sedentari și, sub influența vecinilor lor germani, au trecut la creștinism de rit roman (catolic). Au avut și fericirea de a avea curând

896–900 p. Chr.: ungurii pătrund în pusta Panoniei și se stabilesc acolo

51

Anul 1000: viitorul
Ștefan cel Sfânt
încoronat de Papă
ca rege al Ungariei

un conducător înțelept pe care Papa l-a încoronat rege în anul 1000. Ulterior, acesta a fost și sanctificat: Ștefan cel Sfânt. Fiindcă el a înființat un regat puternic, de felul regatelor feudale occidentale, și i-a întins marginile peste mai multe popoare (nu a domnit numai asupra maghiarilor), ungurii, până de curând, au râvnit să reconstituie provinciile aparținând „Coroanei Sfântului Ștefan".

Coroana Sfântului Ștefan

Regele Ștefan cel Sfânt a primit cu ocazia creștinării sale, de la Papa Silvestru al II-lea însemnele regalității: coroana, sceptrul și globul. Coroana Ungariei, devenită peste timp relicvă și simbol național pentru unguri, poartă pecetea a cel puțin doi meșteri de epoci diferite: partea de jos este bizantină, iar cea de sus este occidentală.

Sfântul Ștefan al Ungariei,
reprezentat cu trei dintre însemnele
regalității: glob, coroană și mantie
(toate păstrate până azi).

25. Ungurii cuceresc Transilvania

De atunci au început ungurii să pătrundă și în Transilvania, străbătând păduri adânci și dese. De aceea, clericii lor, școliți pe latinește, au numit provincia: *Trans-sylvania*, adică țara de peste păduri (pentru că *silva*, pe latinește, înseamnă pădure. Ați auzit poate, în limba noastră administrativă, de „ocolul silvic", serviciul care se ocupă de îngrijirea pădurilor!).

În Banat, Crișana și Transilvania propriu-zisă, ungurii s-au izbit de trei voievodate locuite de valahi (români) și slavi. După cum spune un cronicar de-al lor, care scria prin 1200, dar nu și-a făcut cunoscut numele (de aceea îi zicem acum Anonymus), pe cei trei voievozi îi chema Glad, Menumorut și — cel din centrul Transilvaniei — Gelu sau Ghelou. Numai acesta din urmă purta un nume care trebuie să fi fost vechi românesc; probabil, în românește, numele lui era Ghelău (de altfel îi și spune cronicarul „valahul"). Mai sunt și astăzi o localitate și un munte Gilău în acea regiune. Ceilalți doi aveau pesemne vechi nume bulgărești. Toți trei au fost învinși, astfel încât s-a putut întinde Regatul Ungar peste aceste trei ținuturi: Banatul, Crișana și Transilvania. Despre ostașii voievodului Gelu, care cade în luptă, Anonymus spune că erau săraci, înarmați doar cu arcuri și săgeți. Ei nu apucaseră să fie, ca în Apus, îmbrăcați în zale și echipați cu arme grele.

Secolele al X-lea–al XI-lea: ungurii pătrund în Transilvania

26. Colonizarea secuilor și sașilor. Soarta românilor se înrăutățește

De atunci, încet-încet, Regatul Ungar și-a consolidat puterea în părțile transilvane aducând, cu vremea, și coloniști. La poalele Carpaților Orientali s-a așezat un trib înrudit cu maghiarii, care le-a preluat limba: *secuii*. Ei erau destinați să fie țărani-ostași, care să apere granița de răsărit a regatului, la început, după cum vom vedea, împotriva unor noi năvălitori foarte agresivi: *pecenegii*.

Secolele al XII-lea–al XIII-lea: regii Ungariei colonizează Transilvania cu secui și sași

53

În fruntea secuilor, regele numea un *conte* (*grof*) al secuilor, iar peste Transilvania întreagă, un voievod ungur.

Apoi, pentru a ameliora agricultura, pentru a exploata din nou minele, întemeind orașe care să fie centre de negustori și meșteșugari, regii Ungariei au adus un număr mare de coloniști germani de pe Valea Rinului, acordându-le importante privilegii, adică libertăți de organizare și autoadministrare. Acești coloniști germani, cărora li s-a zis mai apoi *sași* sau *saxoni* (după provincia Saxonia din Germania), sunt cei care au întemeiat marile orașe din Transilvania, al căror belșug și splendoare le mai recunoaștem și azi: Brașovul, Sibiul și Sighișoara (sașii aveau pentru ele nume nemțești!).

Dar, pe măsură ce puterea Regatului Ungar se consolida și se aduceau coloniști străini în Transilvania, soarta românilor se înrăutățea. Curând, pentru că nu erau credincioși ai Bisericii de la Roma, ci depindeau de Biserica de Răsărit, nobilii români au început să fie persecutați, nemaifiind considerați privilegiați și primiți în adunările de conducere ale provinciei. Unii au trecut atunci la catolicism și, în timp, s-au maghiarizat; alții au trecut munții în Muntenia și Moldova. Cei mai mulți însă au decăzut la rangul de țărani și, cu vremea, chiar de țărani șerbi, cărora li s-a zis *iobagi*, după denumirea ungurească.

27. Vin pecenegii și cumanii...

Cca. 896–1099: pecenegii se răspândesc la est și sud de munții Carpați

Din părțile Rusiei, unde șezuseră câteva sute de ani, maghiarii fuseseră împinși către apus de un alt popor turanic: *pecenegii*. Aceștia i-au urmărit până la poalele Carpaților și nici când maghiarii s-au consolidat într-un mare regat, cum am văzut, pecenegii nu i-au lăsat în pace. Ei au stat aproape 200 de ani prin părțile noastre, adică în Moldova și Muntenia, dar, războinici neastâmpărați, rămași păgâni sau — o parte din ei, mai la răsărit —, trecuți la islamism (religia profetului Mahomed), acești pecenegi n-au știut să stea locului și să întemeieze un stat. Luptându-se ba cu rușii, ba cu ungurii,

Luptă între pecenegi și cavaleria bizantină

ba cu bizantinii — conduși pe atunci de un mare împărat, Alexis Comnenul —, bizantinii au reușit să-i învingă într-o mare bătălie, punând capăt puterii lor și împrăștiindu-le neamul prin împărăție. Unii dintre ei e posibil să fi scăpat și să fi rămas pe la noi, căci avem și azi în țara noastră locuri cărora li se zice Peceneaga sau Pecineaga! Și poate tot de la ei avem și alte *toponime* (așa se spune, savant, numelor de locuri), ca Bărăgan și Teleorman, căci în limba lor *deli-orman* înseamnă „pădurea nebună"!

Dar iată că v-am vorbit despre nimicirea pecenegilor de către bizantini, și voi, dacă ați urmărit atent pe hartă tot ce v-am povestit până acum, vă veți fi întrebat: dar cu Bulgaria ce s-a întâmplat? Cum de s-au ciocnit pecenegii cu bizantinii la sud de Dunăre, peste capul bulgarilor? Iată că, pornit să vă povestesc atâtea întâmplări, năvăliri și schimbări de prin părțile noastre, de la nord de Dunăre și mai cu seamă de la nord de

1091 p. Chr.: împăratul Alexis Comnenul îi nimicește pe pecenegi la Lebunion

55

Carpați, n-am mai apucat să vă semnalez un fapt de mare însemnătate, și anume că în jurul anului 1000, un împărat bizantin pe nume Vasile al II-lea, strașnic personaj, căruia i-a rămas porecla de „Bulgaroctonul", adică „ucigătorul de bulgari", a reușit după zeci de ani de lupte să nimicească Țaratul Bulgar și să ocupe toată țara până la Dunăre, deci până la vechea graniță a Imperiului Roman, stabilită cu câteva sute de ani în urmă.

Aici trebuie să vă relatez un episod înfiorător din istoria poporului vecin, ca să vă imaginați puțin ce puteau fi războaiele din vremea aceea. Ce vă povestesc acum e cu atât mai impresionant cu cât această faptă aparține unui împărat al Bizanțului care se mai intitula și „împărat al romanilor" și a cărui capitală, Constantinopol, era orașul cel mai strălucit și mai civilizat din Europa acelor timpuri și poate din întreaga lume.

Într-o ultimă bătălie din anul 1014, Vasile al II-lea, învingător lângă Salonic, face 15 000 de prizonieri. El poruncește atunci să fie orbiți toți cu fierul roșu, lăsând doar un om dintr-o sută cu un singur ochi crăpat, ca să-i călăuzească pe ceilalți până la vetrele lor. Sinistra coloană de orbi și-a pornit marșul către nord. Când i-a văzut, țarul Samuel a murit pe loc. Bizantinii i-au ocupat toată țara.

De aceea, zeci de ani mai târziu, când pecenegii de la noi au pornit după pradă în sudul Dunării, nu cu vreun țar al bulgarilor s-au înfruntat, ci cu împăratul Bizanțului. Și încă o ciudățenie: împăratul, în exterminarea pecenegilor, a fost ajutat de alți năvălitori turanici, din nord, rude apropiate ale pecenegilor: *cumanii*.

28. Simbioza româno-cumană

Despre cumani vă voi vorbi acum mai detaliat, căci ei vor fi ultimii stăpâni barbari de la noi, și — lucru vrednic de semnalat — cu ei s-ar părea că s-au putut întovărăși românii, influențându-se unii pe alții. De pildă, de la cumani au învățat românii din Evul Mediu noua artă a războiului. În orice caz, primul stat român, prima Țară Românească, s-a întemeiat, la puțină vreme după plecarea cumanilor, chiar pe locul pe care străinii îl numeau Cumania.

Formula „simbioza româno-cumană" aparține marelui istoric Nicolae Iorga, expresia simbolizând legătura, înțelegerea, amestecul dintre cumani și români. Acești cumani au reprezentat, timp de vreo două veacuri, o mare putere care se întindea de la nord de Marea Neagră, de departe, din Ucraina actuală, până în Muntenia și chiar în Bulgaria de azi. Dar triburile lor n-au fost în stare să se unească într-un stat organizat, un regat sau o împărăție, ci au rămas la stadiul de triburi înrudite, având fiecare câte un șef. La răsărit, aceștia s-au războit neîncetat cu rușii din Marele Cnezat al Kievului, de mai sunt pomeniți și azi în cântecele bătrânești ale rușilor și în epopeile lor. Rușii le ziceau cumanilor *polovtsi* (dacă unii dintre voi au educație muzicală, au auzit poate de „Dansurile polovțiene" ale marelui compozitor rus Aleksandr Borodin!). La noi, cumanii s-au războit cu ungurii, iar cu românii, cum vă spuneam, s-au înțeles bine nu numai în Moldova și Muntenia, ci și la sud de Dunăre.

Iar acum trebuie să evoc pe scurt o mare aventură a românilor, bulgarilor și cumanilor la sud de Dunăre:

29. Al doilea Țarat Bulgar sau „Regatul vlahilor și al bulgarilor"

Cu tot puhoiul de slavi care izbutise să se infiltreze și să se așeze în întreaga Peninsulă Balcanică (adică în Iugoslavia, Bulgaria și chiar în Grecia de azi), numeroase nuclee, „insule" de populație romanizată — putem de-acum să le spunem români sau vlahi — rămăseseră printre populațiile slave. Mulți dintre ei, fiindcă se retrăseseră la munte ca să se ferească de năvălitorii păgâni, s-au specializat în creșterea oilor, astfel că, în timp, numele de „vlah" a început să însemne la bulgari și „cioban" (după cum la noi, până nu demult, „oltean" era nu numai originarul din Oltenia, ci și negustorul ambulant de zarzavat).

Iată că în anul 1185, profitând de tulburări interne în împărăția Bizanțului, doi frați vlahi din regiunea Târnovo, situată în nordul Bul-

1185 p. Chr.: revolta fraților Petru și Asan

57

Ioniță Kaloian, cel mai important reprezentant al familiei Asăneștilor, încheie în prezența episcopului de Tărnovo o alianță cu un han cuman.

gariei, Petru și Asan, care aveau acolo o cetate, s-au răzvrătit împotriva stăpânirii bizantine și au reușit să adune o oștire întreagă de vlahi și bulgari pentru a ține piept armatelor imperiale. Iar când soarta armelor le-a devenit potrivnică, aceștia s-au retras la nord de Dunăre și au revenit apoi cu mare ajutor de călărime cumană. Ceea ce presupune existența unei bune legături anterioare, poate chiar încuscrirea cu vreo căpetenie cumană, căci însuși numele unuia dintre frați, Asan, e cuman! Ei vor reînființa Țaratul Bulgar, distrus, cum v-am povestit, de

Vasile al II-lea Bulgaroctonul. Iar urmașul lor, al treilea frate, Ioniță zis Kaloian (în grecește, Ioan cel Frumos) chiar capătă de la Papă o coroană de rege.

Dar între timp se petrecuseră mari schimbări la Constantinopol, unde s-a oprit a patra cruciadă din cauza unor neînțelegeri cu împăratul bizantin. Știți ce au fost cruciadele, nu? Acele mari expediții ale cavalerilor din Apus, plecați să recucerească Ierusalimul și Palestina de la turci și arabi! Iar cruciații, cu venețienii în frunte, au cucerit și jefuit marea capitală în anul 1204. Aceasta a fost o faptă de mare gravitate, cu urmări dramatice și de lungă durată în raporturile dintre apuseni și răsăriteni, dintre catolici și ortodocși.

1204 p. Chr.: a patra cruciadă

Unul dintre capii cruciadei, Baldovin de Flandra (Flandra face parte din Belgia de azi, și tot Baldovin — Baudouin — îl chema pe regele Belgiei, care a murit acum câțiva ani!) a fost încoronat împărat al Imperiului Latin din Constantinopol, dar Kaloian, cu vlahii și bulgarii lui, și cu ajutorul cavaleriei cumane, i-a învins pe cruciați luându-l prizonier pe împăratul Baldovin și lăsându-l să moară în beciurile sale de la Târnovo.

Nu vă povestesc mai departe istoria acestei dinastii române, zisă a Asăneștilor, fiindcă regatul lor, reluând tradiția primului Țarat Bulgar, a devenit curând predominant bulgar și aparține istoriei poporului vecin. Dar la început, cronicarii cruciadei, cronicarii „frânci", îl numeau „Regatul vlahilor și al bulgarilor".

1205 p. Chr.: țarul vlaho-bulgar Ioniță, zis Kaloian, îl învinge pe împăratul „latin" al Constantinopolului

30. În 1241, o mare invazie a mongolilor pustiește toată Europa răsăriteană și centrală

Trebuie acum să vă spun două cuvinte despre un alt eveniment de proporții uriașe, de care poate nici n-ați auzit până acum: apariția, în Extremul Orient, în jurul anului 1200, a imperiului lui Genghis-Han. Și poate vă întrebați, mirați și puțin iritați: „Ce are de-a face povestea asta cu istoria românilor?" Veți vedea îndată ce are de-a face!

Știți unde-i Mongolia? Acolo, la nord de China, și la sud de Siberia. O țară muntoasă și pustie, cu o climă cumplită, unde trăiește greu o populație rară de păstori. Ei bine, acolo apare, în primii ani ai secolului al XIII-lea, un șef de trib genial, căruia i se va da porecla de Genghis-Han, „Foarte Marele Împărat". El unește încet-încet toate triburile de războinici mongoli, cărora li se vor alipi, din victorie în victorie, multe neamuri turcice și, cu o organizare militară de o teribilă eficacitate, pornește să cucerească lumea. Întâi China, apoi Afganistanul, vechiul Turkestan, Azerbaidjanul, Rusia, Georgia... Ei seamănă teroarea pe unde trec. În China, după ce au cucerit un oraș care le rezistase îndelung, taie capetele a 150 de mii de oameni și îngrămădesc craniile sângerânde într-o uriașă piramidă. Vă puteți închipui asemenea spectacol înfiorător? De-acum, de groază, orașele la porțile cărora sosește hoarda mongolă nici nu se mai apără.

În 1223, la râul Kalka, în Ucraina, mongolii zdrobesc o coaliție a rușilor din Kiev cu vecinii lor, cumanii de la răsărit. Dar deocamdată se opresc, chemați de alte urgențe. Vestea dezastrului a sosit îndată la cumanii din părțile noastre, care uită de dușmănia lor împotriva ungurilor și a credinței creștine și cer grabnic să fie creștinați și luați sub protecția regelui Ungariei. Acesta își trimite propriul său fiu și pe arhiepiscopul primat al Ungariei ca să creștineze, s-a spus, 40 de mii de cumani. Ceremonia are loc undeva în sudul Moldovei, iar Papa întemeiază imediat o Episcopie a Milcovului... Dar e târziu.

Cca. 1200 p. Chr.: apare în Mongolia un cuceritor genial: Genghis-Han

60

Năvălirea tătarilor într-un sat săsesc din Transilvania, în 1241 p. Chr.

În 1241, uriașa armată a mongolilor a și pornit spre apus, sub comanda unui nepot de-al lui Genghis-Han, Batu-Han. Cumanii din părțile noastre se grăbesc să caute adăpost dincolo de Carpați, iar regele ungur îi colonizează în Ungaria. Toate puterile creștine care încearcă să țină calea mongolilor sunt nimicite una după alta: rușii, polonezii, germanii și cehii. Prin Muntenia trece coloana cea mai sudică și — după cronici orientale — învinge un șef valah. În cele din urmă, până și regele Ungariei e atât de crunt învins că nu-și găsește scăparea decât pe o insulă din Marea Adriatică. S-ar fi crezut că Europa întreagă va fi subjugată, când valul mongol a fost oprit de mâna lui Dumnezeu: de departe, din Mongolia, din capitala Karakorum, sosește cu ștafete iuți ca vântul vestea că a murit Marele Han. Fiii împăratului și căpeteniile

1228 p. Chr.: cumanii sunt creștinați în masă

1241 p. Chr.: marea invazie mongolă a nepoților lui Genghis-Han

oștirii se întorc degrabă pentru a lua parte la alegerea noului han, și marea armată se retrage către răsărit. Dar ea nu părăsește toată Europa: undeva, la gurile Volgăi, lasă o puternică așezare numită Hoarda de Aur. De acolo, aceasta își întinde stăpânirea până în Crimeea, ajungând la gurile Nistrului, își impune pentru două veacuri suzeranitatea peste marii cneji ai Rusiei și, un timp, și peste formațiunile din Bulgaria, Serbia și părțile noastre. Prin incursiunile lor sălbatice, ei vor fi, vreme de veacuri, o veșnică primejdie pentru țara noastră. După numele unuia dintre triburile venite cu armata mongolă, acestora li se va zice de-acum *tătari*, nume care a rămas de groază pentru strămoșii noștri, și pe care urmașii lor îl păstrează până azi în Crimeea, Ucraina și Rusia.

31. Negru-Vodă și „descălecarea". Întemeierea Țării Românești

Țureșul mongol n-a avut însă numai urmări dramatice și nefericite. Prin faptul că a oprit un timp mersul înainte al Regatului Ungar, el a dat răgaz micilor formațiuni românești, cnezate sau voievodate, să se întărească și, în cele din urmă, să se unească în tot ținutul dintre Carpații Meridionali și Dunăre, adică în Muntenia de azi.

Cu câteva zeci de ani înainte de năvala mongolă, regii unguri reușiseră să-și întindă dominația și într-o regiune aflată la sud de Carpați, în Oltenia de azi, și numisără acolo un fel de comite sau duce, cu titlul de ban de Severin (*ban* era un titlu moștenit de slavi de la avari, și tot un ban era guvernator al Croației cucerite de unguri cu 100 de ani înainte).

După ce s-au retras mongolii, regele Ungariei, ca să aibă în acele părți un nou mijloc de apărare de o posibilă revenire a mongolilor, plănuise să dea Banatul de Severin ca feudă unui Ordin francez de cavaleri de la Ierusalim; aceasta însemna că Marele-Maestru al acelui Ordin devenea vasal al regelui Ungariei, iar acesta era suzeranul lui. Așa funcționa toată societatea feudală din Europa medievală.

Cca. 1230 p. Chr.: apare în Oltenia un ban ungur de Severin

Acești „Cavaleri ai Sfântului Ioan din Ierusalim" nu s-au stabilit de-a binelea în Oltenia, dar a ajuns până la noi tratatul de vasalitate dintre Cavalerii Ioaniți și regele Ungariei, și așa aflăm de unele stări de lucruri din părțile noastre în acel an 1247. Printre altele, aflăm despre trei stăpânitori de mici regiuni din Oltenia: cnejii Ioan și Farcaș și voievodul Litovoi, acesta din urmă stăpânind și o parte din Hațeg, peste munți. Iar la răsărit de Olt, în Cumania, aflăm de un voievod Seneslav, de prin părțile Argeșului (e, poate, cel care se împotrivise acolo mongolilor, cu șase ani înainte, și scăpase cu viață). Mai aflăm și că exista de pe atunci o pătură de privilegiați, nobili menționați în tratat, pe latinește, ca *maiores terrae*, adică „mai-marii țării". Ceea ce înseamnă că de pe atunci se alcătuise o clasă de șefi mai puternici care formau osatura oștirii țării; tratatul chiar pomenește de „aparatul războinic" al țării, dar pesemne și aceștia se băteau între ei pentru întâietate.

SIDENOTE

1247 p. Chr.: Diploma Ioaniților

Cc s-a întâmplat în jumătatea de veac care a urmat prăpădului mongol nu reiese limpede din rarele documente străine ce ne-au parvenit. Dar înțelegem că lucrurile, încetul cu încetul, trebuie să se fi așezat, căci constatăm o înceată dar continuă trecere a unor populații din Transilvania în Muntenia. E vorba de români, unguri și sași, veniți să găsească pământuri mai bune sau *să facă negoț*, căci comerțul dintre porturile de la Marea Neagră și orașele săsești din Transilvania, care serveau drept releu spre Europa Centrală și Apuseană, prin Muntenia trecea. Astfel, știm că înainte de anul 1300, orașul Câmpulung era deja înființat de negustorii sași. Avem chiar acolo mormântul, păstrat până în zilele noastre, unui *comite* Laurentius.

1300 p. Chr.: moare la Câmpulung-Muscel comitele Laurentius

Dar unirea tuturor formațiunilor românești, a tuturor cnejilor și voievozilor sub un singur mare voievod cine o fi făcut-o? Să știți că nici până azi nu s-a lămurit pe deplin cum se va fi desfășurat această trecere de la mici cnezate și voievodate la un mare ducat având în fruntea lui un „Mare-Voievod", adică un voievod stăpân peste voievozi.

O legendă care a dăinuit peste veacuri, fiind consemnată abia în cronici din veacul al XVII-lea (adică după 1600, deci la peste 300 de ani după eveniment), pomenește de un Negru-Vodă coborâtor cu ceata lui de voinici din Țara Făgărașului în anul 1290, care a și întemeiat între

PAGE_NUMBER

63

Carpați și Dunăre o „țară a valahilor", adică Țara Românească. Acestei întemeieri, povestea populară i-a zis „descălecarea" sau „descălecătoarea", expresie evocând sosirea unor cavaleri întemeietori de țară. Mai mulți istorici contemporani au pus la îndoială realitatea legendei populare. Dar iată că azi ne răzgândim și-i dăm iarăși crezare.

Cert este că din anii 1320 avem în Muntenia un „Mare-Voievod" pe nume Basarab (sau Basarabă). Dintr-un document unguresc, aflăm că pe tatăl său îl chema Thocomerius. Ambele nume sunt cumane. Pe de altă parte, din documentele Curiei romane (adică ale Papei de la Roma), reiese că atât Basarab, cât și fiul și succesorul său, Nicolae Alexandru, au fost considerați credincioși ai Bisericii de la Roma. Deci nu s-ar fi putut trage din cnejii slavo-români, care de veacuri țineau de Constantinopol. De aceea, e destul de probabil ca Basarab Întemeietorul să se tragă dintr-o spiță de cneji cumani. *Aceasta nu înseamnă că Țara Românească a fost întemeiată de cumani*, așa cum Bulgaria fusese întemeiată de năvălitorii protobulgari, în frunte cu hanul, boierii, gloata lor de războinici. Nu! Cum am văzut, masa cumanilor din părțile noastre, în fața invaziei mongole, se refugiase în Ungaria, fiind colonizată îndeosebi pe Valea Tisei. Dar avem dovezi că unii dintre ei — probabil cei mai asimilați de către români — au rămas prin Transilvania, și poate și prin fosta Cumanie, adică în Muntenia și sudul Moldovei. Și astfel, din câte v-am spus până acum, ar reieși că mai-marii țării proveneau din cneji slavi, juzi valahi, iar în ultimele două–trei veacuri, cu siguranță și din căpetenii pecenege și cumane care se românizaseră, pentru că vom găsi multe nume de-ale lor printre boierii de mai târziu.

Ne putem deci închipui că un voievod român de origine cumană — tatăl lui Basarab — a coborât într-adevăr din părțile Făgărașului pe la 1290 către orașul deja existent, Câmpulung, din care și-a făcut cetate de scaun. Acesta a rămas în amintirea poporului cu porecla Negru-Vodă

Bătălia de la Posada

Unii istorici spun că locul cumplitei bătălii a fost în Cheile Dâmboviței, lângă Rucăr, însă alții o localizează undeva în Munții Făgăraș sau ai Sebeșului. Sigur nu vom ști, probabil, niciodată.

Unul dintre primii voievozi ai Ţării Româneşti, Vladislav Vlaicu, nepotul lui Basarab I. În vremea sa a fost decorată cu minunate picturi biserica domnească de la Curtea de Argeş, construcţie începută de bunicul său, Basarab I, şi terminată de tatăl său, Nicolae Alexandru.

fiindcă, aşa cum ne mai spun cu veacuri mai târziu cronicarii şi călătorii străini, ar fi fost negricios la faţă... Eu unul cred în adevărul legendelor!

Fiul său îşi atinge, în sfârşit, scopul — pe ce căi nu ştim: lupte, alianţe, încuscriri? — de a fi acceptat de toţi mai-marii ţării ca „Mare-Voivod", ca unic Domn. Dar iată că în 1330, noul rege al Ungariei, Carol-Robert, de origine franceză, găsind că Basarab prea se emancipase în faţa suzeranităţii lui aliindu-se cu bulgarii şi ducând războaie în afara graniţelor, coboară din Ungaria cu oaste mare ca să-l silească să se supună. Dar la întoarcerea lui către Transilvania, într-o trecătoare din Carpaţi, marea oştire de cavaleri în armuri şi zale e surprinsă de ostaşii lui Basarab şi, între 9 şi 12 noiembrie 1330, suferă o cumplită înfrângere. Bătălia aşa-zisă „de la Posada" (dar nu s-a identificat încă locul cu precizie) e considerată *actul de naştere al Ţării Româneşti*, fiindcă de atunci a căpătat aceasta o cvasiindependenţă. Zic „cvasi" fiindcă mai apoi, conform sistemului generalizat al Europei feudale şi intereselor comune, Basarab s-a împăcat cu suzeranul său şi, împreună, au cucerit în faţa tătarilor o mare fâşie de pământ la nord de Delta Dunării, pământ pe

1330 p. Chr.: are loc bătălia aşa-zisă „de la Posada"

66

care Basarab și urmașii lui l-au stăpânit câteva zeci de ani. De unde i s-a tras numele de Basarabia acelei regiuni, nume pe care Rusia țaristă îl va folosi, extinzându-l în veacul al XIX-lea la toată Moldova dintre Prut și Nistru. Așa a ajuns numele primului Domn al Munteniei tocmai acolo, departe!

32. Dragoș-Vodă și „descălecarea" Moldovei

Cam la o generație distanță după Țara Românească s-a născut și al doilea stat medieval al românilor, Moldova, numită mai întâi de străini Valahia Mică, dovadă că se știa despre ambele țări că erau locuite de același neam.

Și acolo avem o legendă frumoasă: Dragoș-Vodă, un voievod ales dintre căpeteniile românilor din Maramureș, trece peste munți cu ceata lui de voinici, urmărind un *bour*. Tot gonind după acel vânat, câinele de vânătoare al lui Dragoș, Molda, se îneacă într-o apă! Dragoș dă acelui râu numele de Moldova și, găsind țara frumoasă și prea puțin

Cca. 1345 p. Chr.: Dragoș-Vodă trece din Maramureș în Moldova

Dragoș-Vodă și-a lui ceată...

locuită, se așază acolo cu ceata lui. Țara se va numi Moldova, iar pe stema ei va figura capul de bour!

Să știți că și această poveste minunată are un grăunte de adevăr! Începând din 1345, regele Ungariei Ludovic cel Mare, succesorul lui Carol-Robert, pornește într-o expediție împotriva tătarilor aflați dincolo de Carpații Orientali. Alături de el luptă și vasali de-ai lui, voievozi și cneji români din Maramureș. Pe unul mai vajnic, căpetenia unui neam de voievozi români, îl va lăsa dincolo de Carpați după întoarcerea lui în Ungaria, pentru a constitui acolo unde se găseau locuitori de aceeași limbă cu el un fel de țară de graniță împotriva tătarilor. Așa se naște în nordul actualei Moldove, lângă Siretul superior și râul Moldova, al doilea stat român medieval. Dar dinastia lui Dragoș e de scurtă durată.

Cca. 1363 p. Chr.: Drăgoșeștii sunt înlocuiți de Bogdănești, zișă mai târziu Mușatini

Un alt voievod român din Maramureș, răzvrătit împotriva regelui Ungariei, trece munții (probabil în 1363), îi alungă pe urmașii lui Dragoș și înființează în Moldova o nouă dinastie, cea a Bogdăneștilor, zisă mai apoi a Mușatinilor, numită astfel după numele unei nurori a lui Bogdan, Margareta-Mușata, mama a doi nepoți și succesori de-ai lui Bogdan: Petre și Roman. Bogdăneștii vor lăți cu vremea granițele Moldovei până la Nistru și Marea Neagră, căutând suzeranitatea regilor Poloniei, atât pentru a favoriza comerțul de la Marea Neagră spre centrul Europei, care trecea prin marele târg polonez Lvov, cât și pentru a se feri de o eventuală răzbunare a regilor Ungariei.

Astfel, la sfârșitul veacului al XIV-lea, când se vor urca pe tronurile Țării Românești și Moldovei doi mari domnitori, Mircea cel Bătrân și Alexandru cel Bun, cele două voievodate se vor număra printre marile formațiuni ale Europei Centrale, comparabile cu voievodatul Transilvaniei, țaratele bulgare, despotatele sârbești, Banatul Croației sau ducatele Austriei și Bavariei. Ele făceau parte de-acum din „concertul" statelor feudale ale Europei medievale.

CUPRINS

La prețul de vînzare se adaugă 2%,
reprezentînd valoarea timbrului
literar ce se virează
Uniunii Scriitorilor din România,
Cont nr. 2511.1–171.1 / ROL,
B.C.R. Filiala sector 1, București

Redactor coordonator al colecției Humanitas Junior
ANCA DUMITRU

Apărut 2003
BUCUREȘTI – ROMÂNIA

Tiparul executat la
R. A. „MONITORUL OFICIAL"

Apariții în

Istorie & Legendă

din seria
HUMANITAS JUNIOR

MIRCEA CEL BĂTRÂN ȘI LUPTELE CU TURCII
Text
NEAGU DJUVARA
Ilustrația
RADU OLTEAN

DE LA VLAD ȚEPEȘ LA DRACULA VAMPIRUL
Text
NEAGU DJUVARA
Ilustrația
RADU OLTEAN

RELIURE
TRAVACTION